SUSANNA TAMARO

per sempre

SUSANNA TAMARO

per sempre

www.giunti.it

© 2011 Giunti Editore S.p.A.
Via Bolognese 165 – 50139 Firenze – Italia
Via Dante 4 – 20121 Milano – Italia
Prima edizione: maggio 2011

Ristampa	Anno
6 5 4 3 2 1 0	2015 2014 2013 2012 2011

Dio ha dato alla terra il soffio che la nutre.
Il suo alito dà vita a tutte le cose.
E se egli trattenesse il suo soffio, tutto si annienterebbe.
Questo soffio vibra nel tuo, nella tua voce.
È il soffio di Dio che tu respiri e non lo sai.

Teofilo di Antiochia

uno

Io sto quassù e accolgo coloro che salgono al monte.
Alcuni hanno una meta, altri semplicemente vagano per i boschi. Ci sono tante strade per salire, quella che passa qui davanti non è che una tra le tante, la più varia forse. Qualcuno tira dritto, senza neanche guardarmi, altri si fermano, incuriositi.

«Cos'è questo posto, un rifugio, un agriturismo?» Non capiscono.

«Devo pagare qualcosa?» mi chiedono, se, oltre l'acqua, offro loro del vino.

«Il prezzo è il dono dell'ospite» rispondo.

Alcuni sorridono, si sforzano di capire; altri bevono in fretta e si allontanano senza voltarsi indietro, come inseguiti da un invisibile pericolo.

A volte, però, le persone ritornano. Non ritornano per il monte, ma per questa stanza in cui arde il fuoco. In pochi ammettono di esservi venuti apposta, accampano scuse: «Passavo per caso... Cercavo funghi poco lontano... Volevo salire l'altro versante, ho sbagliato strada...».

La maggior parte di quelli che tornano sono coloro che hanno accettato l'acqua e il vino con un sorriso. Di quelli che sono fuggiti ne rivedo meno e, se lo fanno, passano più tempo a giustificarsi. Uno mi ha persino aggredito: «Non ho tempo da perdere io!».

«E allora perché è venuto?» gli ho risposto. «Questo è il luogo dove il tempo si sospende.»

Alcuni invece arrivano e mi rovesciano addosso tutto quello che hanno nel cuore.

«Mi consoli, padre» mi ha detto una volta una signora, alla fine del suo racconto.

«Non sono un prete» le ho risposto.

Si è alzata di scatto. «E allora perché le ho raccontato tutte queste cose?»

«Non lo so.»

«Magari lei è anche un truffatore» ha gridato uscendo.

«E lei cosa voleva che io fossi?» le ho risposto, ma le mie parole sono rimbalzate contro le assi della porta sbattuta.

Spesso, durante l'estate, chi vede le pecore mi chiede: «Vende formaggio? Di quello buono, genuino?».

«Non so se è buono» rispondo «ma se vuole glielo faccio assaggiare.»

Restano male quando dico che lo produco per uso personale. Per rimediare, offro loro un pezzo da portare a casa.

«Va bene, però lo pago» rispondono molti.

«Non è necessario.»

«Ci tengo.»

«Va bene, se lei è più felice così...»

«Ma lei non è un pastore.»

«Quando sto con le pecore, sono un pastore.»

«D'accordo, ma non vive di questo.»

«Quando mangio il formaggio, vivo di questo.»

«E quando non fa il pastore, cosa fa, qual è il suo lavoro?»

«Produrre le cose che mi servono per vivere.»

«Tutto qui?» commentano, stupiti. «Ma non è un vero lavoro!» Alcuni sorridono: «Beato lei! Come vorrei vivere anch'io quassù!».

Quando si vive fuori dal mondo è facile attirarsi le fantasie delle persone più fragili.

Nei primi tempi c'era un pensionato che veniva spesso quassù. Arrivava con passo veloce e parlava altrettanto velocemente. Non salutava e non entrava in casa. Appena mi vedeva cominciava a gridare: «Lo so chi è lei, è un pervertito, che sta quassù per organizzare le sue orge! Io non ci casco, no, non ci casco. Perché uno si isola, se non è un maiale? Gli uomini normali hanno le mogli, hanno i figli, non stanno nel bosco ad aspettare le vittime! Vergogna! Porco!» gridava e poi spariva nuovamente nel bosco, accompagnato dal demone della sua ossessione.

I primi tempi non riuscivo ad accettare questo continuo bisogno di trovare una definizione. Non esisti se non c'è un aggettivo, un nome che aiuti a sistemarti da qualche parte. Poi mi sono abituato, ho capito che questa forma di classificazione fa parte della natura dell'uomo. Se so chi sei, so come comportarmi nei tuoi confronti, ma se sei un uomo senza legami e senza ruoli, non so più cosa pensare. Sei nudità e ti offri come nudità. E la nudità provoca scandalo.

Tutti noi abbiamo una definizione che ci permette di esistere e questa definizione è la nostra zattera, grazie a lei navighiamo nella tumultuosità dei giorni, grazie a lei siamo in grado di giungere senza impazzire fino all'estuario.

due

Cara Nora, ieri c'è stata la prima grande nevicata.

Nel pomeriggio sono uscito e ho raggiunto il bosco. Con la neve, ogni cosa cambia, la natura è come immersa in una sorta di stupore. Anche il rumore più vicino sembra provenire da lontano. Più che i rumori, sono i loro echi e tutta la misteriosa vita dei suoi abitanti che, a un tratto, diventa manifesta. Lì due lepri si sono inseguite, più in là c'è la corsa dello scoiattolo, sotto quel pino una martora si è fermata ed ha invertito il corso della sua marcia.

Ci sono tracce ovunque, le tracce degli animali e le mie. Per un istante ieri ho immaginato che, accanto alle mie, ci fossero le tue.

Ricordi la nostra prima grande escursione in montagna? Avevamo piantato la tenda – una pesante tenda cecoslovacca comprata con i miei risparmi – su un pianoro appena sotto i ghiaioni delle creste. Intorno a noi c'erano pini mughi e una grande distesa di rododendri. Era settembre. Invece di dormire abbiamo trascorso la notte a parlare. Il cielo era straordinariamente limpido

11

e la luna piena sopra di noi. Alle prime luci dell'alba avevi voluto uscire. Ti era parso di sentire il verso di un'aquila, non volevi perdere l'occasione di vedere la prima aquila della tua vita.

Ti avevo seguito, ci eravamo seduti su una roccia. Il rapace era comparso quasi subito. Nella luce tersa di quell'alba ghiacciata, veleggiava con le ali distese, ripetendo ogni tanto il suo grido. Poi, a un tratto, sfruttando una corrente ascensionale aveva cabrato bruscamente ed era scomparso dai nostri sguardi. Allora mi avevi abbracciato forte, il naso ghiacciato, le mani gelate, i primi raggi che comparivano al di là delle vette gloriosi nel loro splendore.

«Esiste il "per sempre"?» mi avevi chiesto.

Ti avevo stretto a me con ancora più forza. Sotto lo strato di maglie, maglioni e giacca a vento, avevo sentito vivo e caldo il tuo esile corpo.

«Esiste solo il "per sempre"» ti avevo risposto.

La notte, invece quassù, è un inchiostro che divora ogni cosa, spariscono gli alberi, svanisce l'orizzonte della valle, spariscono la stalla, la slitta, la staccionata dell'orto. Svaniscono le forme e cambiano i rumori. I pettirossi, i merli, le gazze e le cornacchie si ritirano sui rami ghiacciati. Tra la paglia, gli agnelli si stringono alle madri senza più belare, solo il respiro li tiene uniti – due piccole nubi di fiato – e un fiato leggero esce anche dalla loro pelliccia, fuma nell'aria come il suolo di marzo quando la neve si scioglie e il cielo riscalda ogni cosa. La notte ha i suoi abitanti e sono abitanti senza volto. Il richiamo insistente del gufo, la voce acuta della civetta. Lontano, di tanto in tanto, si sente l'ululato solitario dei lupi inframmezzato all'abbaiare secco delle volpi intorno alle case. Quando poi il buio si stempera, sul suolo gelato echeggia lo scalpiccio dei cervi e il loro forte bramito che prelude all'accoppiamento.

Appena l'alba inizia ad affacciarsi, scaldo dell'acqua sulla stufa e, con la brocca calda, raggiungo l'ovile. Le pecore sono ancora tutte accovacciate sulla paglia, le une accanto alle altre per tenersi caldo. Vivono con me da anni ed ognuna di loro ha un nome, riconoscono la mia voce anche da lontano e rispondono al mio richiamo con dei belati miti. I figli – il pelo ancora candido – riposano accoccolati tra le zampe delle madri, con il muso danno dei colpetti alla madre e lei li ripaga leccando loro la testa. Più tardi, quando aprirò loro la porta, ruzzoleranno fuori e giocheranno con corse sfrenate salendo e scendendo da una carriola ribaltata in mezzo al cortile.

Sciolgo l'acqua ghiacciata nell'abbeveratoio con quella che ho portato da casa e riempio di cibo la mangiatoia. Sono ancora assopite e non sembrano particolarmente interessate. Mi siedo allora sullo sgabellino della mungitura e rimango per un po' accanto a loro, in silenzio.

Da qualche parte, tra la paglia, corre un topo e, sulla

finestra, si affaccia un codirosso infreddolito. I vetri sono lastre di ghiaccio e il mio fiato, così come quello delle pecore, forma nuvole di vapore.

Stare qui con gli animali mi dà una gran pace. Tra la paglia e il calore, c'è il senso della cura e dell'affidamento.

Forse non te l'ho mai detto, ma stare con gli animali è stato il mio primo desiderio da bambino. «Da grande avrò una stalla!» avevo detto un giorno ai miei genitori. Un silenzio improvviso era sceso nella stanza – di solito i bambini desiderano delle automobili, degli aeroplani oppure sognano di essere degli eroi. «Vuoi fare l'allevatore?!» aveva chiesto mio padre stupito. Mia madre mi aveva guardato perplessa: «Con una mucca?».

«Sì, con una mucca e un vitello, anche con le pecore.» I miei genitori non erano più tornati sull'argomento e anch'io, visto il poco entusiasmo suscitato, avevo continuato a mantenere quel desiderio nel silenzio del mio cuore.

Non avevo raccontato loro che un giorno, girovagando in bicicletta nelle campagne intorno alla casa dei nonni, ero entrato per caso a curiosare in quello che sembrava un rudere e, inaspettatamente, mi ero trovato di fronte a una mucca. Doveva aver partorito da poche ore; ai suoi piedi, con gli occhi ancora trasognati di chi viene da un altro mondo, giaceva il vitellino. Vedendomi, aveva emesso un forte soffio dal naso, come a

dire: stammi lontano, non avvicinarti al mio piccolo;
guarda, ma non toccare. Non c'era minaccia nel suo
sguardo, piuttosto maestà, orgoglio, determinatezza.
Aveva il naso umido, gli occhi con lunghe ciglia – neri,
lucidi, profondi.

Eravamo solo noi tre là dentro, ma era come se, fra
i nostri tre sguardi, si fosse raccolto l'universo intero,
come se la frammentarietà della mia vita, per un istante, si fosse ricomposta.

C'era stupore, e meraviglia e forza.

C'era dono, cura e calore.

C'erano le domande e le risposte, tutte raccolte in
un unico soffio.

Per questo, tornato a casa, con l'ingenuità dei miei
dieci anni, avevo proclamato trionfante che avrei avuto
una stalla.

Quante cose di me non ti ho mai detto! Eravamo talmente giovani, talmente pieni di entusiasmo per il tempo che stavamo vivendo. C'era il presente – il tempo
del nostro amore – e il futuro, che sarebbe stato ciò
che negli anni a venire avremmo costruito insieme:
il lavoro, la casa, i bambini, seguendo l'aspirazione di
lasciare il mondo migliore di come l'avevamo trovato.
Tutto ciò che era alle spalle non aveva nessuna impor-
tanza, eravamo sicuri che la nostra passione e il nostro
amore avrebbero superato ogni ostacolo.

A te piaceva paragonare la nostra vita al corso

dell'acqua. «Adesso siamo un torrente di montagna,» dicevi «scorriamo impetuosi, saltando tra i massi, creando cascate, il rumore del nostro corso riempie l'aria dalle cime alla valle. Un giorno però diventeremo dei fiumi di pianura – placidi, gonfi, pigri – e non produrremo più alcun suono, se non il fruscio che fa il vento quando accarezza i salici.»

«Sarà noioso?» chiedevo.

«No, sarà naturale.»

Così, spesso, di notte nel letto, con gli sguardi puntati al soffitto, giocavamo a "che fiume vuoi essere?". «Vuoi essere la Dora Baltea?» ti chiedevo e tu scalciavi le coperte gridando: «No! La Dora Baltea, no». Ti sembrava troppo piccola, modesta e poi detestavi l'idea di finire nel Po. «Non voglio essere un affluente,» dicevi «voglio essere un fiume che si getta direttamente in mare.»

La tua passione era il Rio delle Amazzoni. Passavi ore a descrivermi la straordinaria fauna che osservavi al tuo passaggio: farfalle, pappagalli, e i delfini rosa che risalivano il tuo corso.

Ti faceva gioiosamente inorridire, invece, il mio desiderio di volere essere il Volga. «Ma come puoi? Ci sono solo steppe, neve e lastroni di ghiaccio.» Poi mi stuzzicavi: «Forse perché, in realtà, sei l'uomo di ghiaccio».

«Preferiresti un fiume africano?» rispondevo abbracciandoti.

Solo una volta, quando ti avevo proposto il Timavo,

ti eri rabbuiata. «Il Timavo no! È un fiume carsico. Non mi piacciono le cose che spariscono.»

«Neppure a me. E poi perché mai dovrei sparire?»

«Magari perché sono noiosa» avevi risposto, scoppiando a ridere.

«Sei tu che ti stuferai un giorno.» Sapevo infatti di non possedere neppure un briciolo di fantasia.

«Tutti gli uomini sono noiosi» sbuffavi. «Lo sappiamo dal tempo di Adamo. E più invecchiano, più diventano noiosi.»

«E allora?»

«Non ti permetterò mai di diventarlo.»

«E se ascolterò la domenica la partita alla radio, camminando mano nella mano?»

«Allora fuggirò a mille miglia, non sarò fiume ma vapore. Ti sveglierai un giorno e, al mio posto, troverai l'alveo vuoto.»

Nei lunghi inverni di solitudine mi sono spesso chiesto come sarebbe il mondo intorno a me, se fosse ancora visto dai tuoi occhi. Quando dicevo «sono un uomo noioso» dicevo la verità. Per me tu eri come l'incantatore di serpenti, suonavi e io uscivo dalla cesta. Ma, senza la tua musica, i miei pensieri diventavano ristretti come quelli di un rettile.

La tua fantasia era in grado di trasformare in meraviglioso anche l'evento più banale. Al contrario, io ho sempre avuto uno sguardo indagatore. Invece di costruire la realtà, preferisco sprofondarmi dentro, muovere la terra, scavare, andare avanti a fiuto e a tatto, per cercare di scoprire cosa si nasconde sotto la banalità dei giorni. Per questa ragione, credo, sono stato un buon medico. Per questo, forse, anche quassù non sono mai realmente solo, i pensieri mi fanno compagnia dissezionando ogni cosa con la meticolosa puntualità di un entomologo.

Tra un albero e un altro intravedo, laggiù nella valle, la notte degli uomini. Alcune case s'inerpicano sui contrafforti del monte – piccole luci che brillano nel buio attraversate a tratti dai fari delle auto. Più in basso le luci si infittiscono, mescolandosi con quelle dei lampioni. Di rumori, dalla notte degli uomini, ne arrivano pochi. Un clacson, una frenata, l'eco lontano di qualche campana. Durante l'inverno potrei distinguere i giorni della settimana soltanto dai suoni che salgono. Per cinque giorni il ronzio discontinuo delle auto si ferma all'imbrunire, il venerdì e il sabato invece, dopo cena, il rumore si intensifica – con picchi di rombi solitari – fino al ritorno dell'alba. Stipate sulla stessa auto, le persone si dirigono verso le discoteche e i locali della pianura. Divertirsi, questo sembra ormai l'unico imperativo del tempo libero.

Manca un mese a Natale. Da quassù, posso scorgere la grande stella cometa sulla strada principale del paese e tutto il corollario di lampadine bianche che la precedono e la seguono per congiungerla ad altre stelle. Un variopinto corteo di luci ricama anche le case, le villette, le fattorie. Abeti lampeggiano nel buio come semafori impazziti accanto a semplici arbusti, roseti o meli inanellati di lumi. Chi non ha alberi drappeggia di luce le balaustre, le inferriate, i davanzali. Tutto ciò che è avvolto in una discreta oscurità in queste notti brilla, illuminando ogni spazio intorno.

Quando la notte inizia a divorare i pomeriggi, all'improvviso si scopre di aver nostalgia della luce, così le valli, le colline e le campagne si trasformano nel segno di questa mancanza. Luci sempre più mirabolanti, più chiassose mutano l'atmosfera raccolta dell'inverno nell'allegra visione di una sagra.

Cosa si festeggia? Nessuno lo sa più, nessuno lo ricorda.

Più che un festeggiamento, sembra una forma di resistenza. Si resiste al buio, ci si oppone a quella notte misteriosa che sta in fondo a ciascuno di noi, a quell'oscurità che, prima o poi, ci attende tutti.

È facile, durante le giornate di primavera e d'estate, mandare questo spettro al confine. Tutto è luminoso. Ma quando il sole si ritira e il buio scende con le sue dita ghiacciate, quando quelle dita ci sfiorano, ricordando la nostra fragilità, tutto diventa più difficile. Siamo sottili sfere di vetro, basta un urto minimo per trasformarci in schegge. Quanto tempo ci vuole perché poi queste schegge tornino ad essere la bella sfera iridescente? Nessun tempo a noi noto, perché nessun frammento è in grado di tornare ad essere forma. La luce allora è la nostra compagna, la nostra amica, il nostro antidoto. Staremo con lei fino a che i pomeriggi timidamente diverranno più chiari, fino a che gli uccelli, rotto il silenzio invernale, riempiranno l'aria con cinguettii già carichi di schermaglie amorose.

tre

Da quindici anni abito ormai quassù. Ci sono capitato per caso, durante un'escursione e mi sono innamorato del posto. Vedendolo, non ho potuto evitare di pensare che sarebbe piaciuto anche a te. Qui avremmo potuto essere fiumi, come tu volevi, stare seduti sul prato con intorno tutti i nipotini che avevi immaginato. C'erano i resti di quello che doveva essere stato un ricovero di pastori. Tre pareti di sassi senza più tetto, intorno lamiere, resti di fuochi, assi bruciacchiate e qualche bottiglia vuota.

Tornato a valle mi sono informato sulla proprietà, era di un anziano pensionato a cui non pareva vero che qualcuno volesse comprare quel rudere remoto.

Restaurare la casa non è stata un'impresa facile. Una volta stipulato l'atto d'acquisto, sono stato preso da un senso di sconforto: più che un'abitazione era un cumulo di sassi; tra i coppi e le lamiere precipitati al suo interno cresceva un groviglio di rovi e, tra i rovi, delle ortiche. Entrando, poi, ho sentito, inconfondibile, il soffio di una vipera, ma ormai non era più possibile tornare indietro.

Sgombrando con cautela le macerie, mi sono reso conto che, non appena l'uomo abbandona la sua casa, al suo posto subentra in breve ciò che punge, che ferisce, che uccide.

Il rovo, l'ortica, la vipera.

Per quale ragione le rovine non vengono invase da primule e da caprifogli? Perché, invece delle vipere, lì non nidificano i leprotti?

Dove l'uomo si ferma, la natura, da subito, mostra il suo volto più ostile – che sia un rudere, un pascolo o un campo, ciò che cresce e riprende lo spazio è sempre qualcosa che ha in sé il principio della prepotenza.

Negli anni seguenti ho avuto conferma di questa intuizione. Se ti fermi o ti distrai, la natura avanza e conquista, divora ogni cosa. L'idillio che immaginavi, finché stavi seduto nella tua casa di città, si polverizza non appena comprendi che non la benevolenza ma la cecità è il suo vero volto.

Fermarsi, distrarsi vuol dire soccombere.

Dopo aver divelto i rovi, falciato le ortiche e scacciato la vipera, è arrivato un amico geometra e mi ha aiutato nell'opera di edificazione. Giungeva all'alba con il suo pickup e scaricava la roba. Io già dormivo lì, in una tenda vicina alla casa. Lui dava gli ordini ed io ubbidivo. Lavoravamo tutto il giorno e parlavamo poco. Il sogno romantico di fare tutto da solo era svanito ai miei primi tentativi di mettere una pietra sull'altra senza farla crollare. Non sono mai stato una persona abile con le mani, come ben sai, davanti anche al più semplice problema di idraulica o di meccanica provo un senso di assoluto scoramento.

L'ovile, invece, sono riuscito a costruirlo da solo, con mia grande soddisfazione, asse dopo asse – alcune un po' storte, altre più dritte – delimitandolo anche con un bel recinto per fare uscire le pecore nei giorni di inverno.

Terminato l'ovile, ho dissodato il campo e, dopo il campo, ho divelto i rovi dal grande pascolo al limitare del bosco. Dato il mio fallimento come muratore temevo anche il fallimento come agricoltore. Sono sempre stato un uomo di città, sono cresciuto sui libri e ho curato le persone, ma non avrei saputo neppure come far sopravvivere i gerani che mia madre teneva sul balcone. Ogni tanto, di notte, ero preso da una vera angoscia. Come avrei fatto a sostentarmi con il solo lavoro delle mie mani? Non avevo forse deciso tutto in un momento di follia o di orgoglio?

Invece, appena ho afferrato la vanga in mano, mi sono reso conto che tutto, misteriosamente, era già dentro di me. Sapevo ascoltare la terra – umida, meno umida, secca, argillosa – e lavorarla secondo la sua necessità, sapevo ascoltare la minuscola voce dei semi e il vincolo segreto che li legava alle stelle. Sapevo quand'era il momento giusto per interrarli e di cosa avevano bisogno le piantine appena nate – se di

23

acqua, di riparo dal sole o dal gelo, di uno sguardo attento capace di intuire tutto ciò che avrebbe potuto nuocere loro.

Hai conosciuto poco mia madre, e sempre attraverso il filtro opaco dei miei scarni racconti. Per quanto riguarda i miei nonni – i suoi genitori – credo tu li abbia visti una volta sola, il giorno del nostro frettoloso matrimonio. Stavano in prima fila, imbarazzati, commossi, il volto corroso da troppe stagioni trascorse sotto il sole.

Alla fine della cerimonia, costretta in un cappotto ormai piccolo, mia nonna, con le sue mani ruvide, aveva afferrato le tue e ti aveva baciato dicendo: «Dio ti benedica, figliola». Ricordo ancora il tuo sguardo sorpreso, ironico. Quelle parole, quella figura ti sembravano uscite probabilmente dal libro *Cuore*.

Per gran parte della loro vita i miei nonni avevano fatto i mezzadri, in seguito avevano riscattato il podere ed erano diventati agricoltori diretti. Anche i miei bisnonni erano stati mezzadri. Mia madre è stata la prima della famiglia a studiare. Aveva fatto le magistrali e penso che, in qualche modo, si vergognasse dei suoi genitori. Non aveva alcuna nostalgia della campagna, detestava le mosche, la polvere, gli odori forti. Tenere l'appartamento lustro come un minuscolo gioiello era il compito sovrano della sua vita.

Quando stavo dai nonni d'estate, lei rimaneva in città con mio padre e veniva soltanto la domenica. I nonni erano piuttosto silenziosi e non si occupavano granché di me. Con la vecchia bicicletta della nonna, il mento che sfiorava appena il manubrio, me ne andavo in giro per la campagna. Pedalavo incerto, senza sapere dove andare. Di tanto in tanto mi fermavo e mi sdraiavo sull'erba. Passavo così pomeriggi interi a guardare lo scorrere delle nuvole in cielo, nuvole-drago e nuvole-elefante, nuvole-bastimento e nuvole-cavallo, nuvole-pecora e nuvole-punto di domanda.

Quando ero stanco di osservare in alto, spostavo lo sguardo verso il basso, tra l'erba che mi circondava; c'erano minuscole formiche che portavano pesi enormi; cavallette che, spiccando un salto, mostravano impreviste ali rosse o azzurre; maggiolini dalla corazza chitinosa che brillavano come smeraldo; bombi pelosi come orsacchiotti che sprofondavano con ronzii di piacere all'interno delle altee.

Il mondo in basso non era meno meraviglioso di quello in alto, anzi. Guardando il cielo, infatti, ero costretto ad usare la mia fantasia – senza il nome che attribuivo alle nuvole sarebbero state soltanto degli ammassi di vapore – mentre ciò che vedevo intorno al mio naso non cessava di stupirmi per la sua varietà e per la sua complessità.

Da dove venivano le formiche, chi le aveva inventate? Chi aveva deciso che le formiche dovessero essere formiche?

Perché, oltre alle api, c'erano i bombi? C'era davvero bisogno di quelle api grasse?

Com'era possibile che quei vermi bianchi e tracagnotti che trovavo sotto la superficie, scavando con un bastoncino, diventassero un giorno gli splendidi maggiolini che volavano con le elitre inondate dal sole?

Come facevano a trasformarsi? Era stato il nonno a dirmelo, ma io potevo credergli?

E se i vermi potevano diventare delle corazzate volanti, che cosa sarei potuto diventare io?

Trasformazione, era questa la legge del mondo?

Quando poi portavo a casa la carcassa di qualche animale trovato morto nel mio girovagare, il nonno la osservava e sentenziava: «È stata la faina... è stata la donnola... è stato il falco... è stata la volpe». A seconda della parte del corpo mancante, lui sapeva chi aveva dato il primo morso, il primo colpo di becco o di artiglio; ma quel morso era appena lo squillo di tromba che chiamava gli altri al banchetto perché chi aveva ucciso si serviva di una parte soltanto della preda – dopo di lui arrivava la schiera infinita dei commensali, le larve delle mosche, i coleotteri necrofori, i collemboli decompositori.

Se la trasformazione era quella, mi chiedevo, che senso avevano i nostri giorni? Essere un banchetto? Permettere a tanti minuscoli esseri di vivere nell'abbondanza?

Oppure c'era un altro tipo di trasformazione che ci riguardava?

Nell'orto, il nonno schiacciava dei minuscoli puntini gialli sulle foglie dei cavoli; quando però gliene sfuggiva qualcuno, in pochi giorni, quei puntini si trasformavano in grovigli di bruchi e, dopo qualche tempo ancora, dai bruchi si libravano le farfalle.

Quei puntini erano farfalle prima di essere farfalle.

E io, prima di essere io, che cos'ero, dov'ero?

E mio padre, mia madre, e tutte le persone che vedevo intorno?

Anche noi eravamo stati puntini, avevamo rischiato di venire schiacciati?

Gli insetti, però – almeno per quanto ne sapevo – non sognavano, non pensavano, non erano in grado di immaginare il futuro. Cercavano ciò di cui nutrirsi, qualcuno con cui accoppiarsi e questo era tutto. I maggiolini si assomigliavano tutti, nessuno di loro si chiamava Mario o Silvio, la stessa cosa valeva per i bombi, mentre io ero diverso da mio padre, come mio padre era diverso dal suo, e i miei figli un giorno sarebbero stati diversi da me.

Da dove veniva quella parte invisibile?

Era come una camicia che indossavamo al momento della nascita o invece ce ne stavamo già da qualche parte, con la camicia addosso, magari tutti raccolti nella nuvola-punto di domanda? E quando i necrofori e le larve avessero cominciato a lavorare di mandibole, noi, con la nostra camicia, dove saremmo andati?

Una volta mio padre mi aveva portato a un concerto. Prima di entrare nella sala avevamo consegnato i cappotti ad una signorina che, in cambio, ci aveva dato un numero.

Era così?

Alla fine si consegnava la camicia a qualcuno e veniva controllato lo stato in cui la restituivamo? Qualcuna era piena di buchi, qualche altra lacera, trasandata, sporca, altre ancora inamidate perfettamente come fossero uscite in quell'istante dal negozio.

Forse si pagava una multa, come quando si rompe qualcosa che non ci appartiene?

Ma la camicia, poi, era nostra o no?

E se era nostra, perché non eravamo liberi di farne quello che volevamo?

Quelle estati trascorse girovagando per i campi, senza dover rendere conto a nessuno del mio tempo, sono state il mio primo pensatoio. In città dovevo andare a scuola, fare i compiti, accompagnare mia madre a noiosissimi tè con le amiche, andare in giro con mio padre a fare le commissioni. Ero sempre schiacciato tra dover essere e dover fare, così non mi restava tempo per dar spazio alle elucubrazioni che, come folla impaziente, sgomitavano davanti alla mia mente.

Nell'estate dei miei nove anni, poco prima di rientrare in città, avevo catturato una bellissima farfalla. Aveva delle ali grandi, lunghe code e una livrea gialla e nera con qualche punto di rosso. Stringendola trion-

fante tra le dita ero corso in cucina per mostrarla ai
nonni. Che delusione scoprire che l'incanto di quella
creatura era rimasto impresso sulle mie mani! La sua
magnificenza era soltanto polvere luminosa – davanti
ai miei occhi si divincolava ora un insettino grigio
che, di lì a poco, sarebbe morto. Sono scoppiato a
piangere.

«Cos'è successo? Sei caduto?» mi ha chiesto la nonna senza distrarsi dai fornelli.

Sono uscito di corsa fuori, senza rispondere. Qualcuno aveva infilato un rostro nel mio cuore e lo girava,
cercando il punto in cui produceva più dolore.

Anche la bellezza non era che una fragile forma di
apparenza; distruggerla era la cosa più facile del mondo.

Quella sera stessa, durante la cena, mentre la minestra
fumava nei piatti, avevo chiesto al nonno:

«Perché viviamo?».

Per un po' mi aveva osservato perplesso. Poi con la
sua voce bassa – quella voce che udivo così raramente
– aveva detto:

«Per fare le cose, per farle bene. Per le bestie, per i
campi...».

«Mangia, ché si raffredda» aveva subito aggiunto la
nonna e il silenzio era sceso nuovamente nella stanza.

Le falene entravano in casa dalla finestra aperta.
Ce ne erano di minuscole e di giganti, volavano come
impazzite, cadevano nei piatti e con le ali bagnate cer-

cavano di risollevarsi, si tuffavano nei bicchieri, nella brocca dell'acqua, annegavano annaspando nella caraffa del vino. Di tanto in tanto, qualcuna si lanciava anche sulla fiamma della candela.

Il crepitio di quel minuscolo rogo mi sembrava, in quegli istanti, l'unico vero rumore del mondo.

quattro

A volte mi sono trovato a pensare che ciò che ci ha uniti, da subito, in maniera così forte sia stato in qualche modo la condizione dei nostri padri. Il mio non vedente – all'epoca si diceva soltanto cieco – e il tuo assente, o meglio ridotto soltanto a una sigla. È stata una delle prime cose che mi hai detto, durante le conversazioni di avvicinamento. Mi avevi appena raccontato che tua madre insegnava. «E tuo padre?» ti avevo chiesto senza malizia alcuna.

«N.N.» avevi risposto con tono lievemente aggressivo. «Cambia qualcosa?»

«Non cambia niente.»

«E dunque» avevi proseguito «d'ora in poi, N.N. non nominarlo più.»

Il giorno dopo, con discrezione, ti avevo raccontato della cecità di mio padre e di come, negli ultimi anni, i nostri rapporti fossero andati deteriorandosi.

Mentre tu dovevi fare i conti con un'assenza, io li dovevo fare con un'eccessiva presenza.

Due sono stati i rumori di fondo della mia infanzia. Il ticchettio del pedale della macchina da cucire di mia madre e quello del bastone di mio padre. Spesso si sovrapponevano – *tan tan tan tan, tic tic tic tic, tan tan tan tan, tic tic tic tic* – sovrastati, a tratti, dal lugubre lamento di una nave che lasciava il porto di Ancona. Naturalmente, mio padre avrebbe potuto benissimo girare per casa senza bastone, l'appartamento era piccolo e i mobili sempre nello stesso posto, ma dato che era un uomo di poche parole, usava quel rumore per farci sapere sempre dov'era e cosa stava facendo.

Di quella casa ad Ancona, ricordo ancora il tavolo azzurro di fòrmica in cucina, l'orgoglio di mia madre. «È di fòrmica» ripeteva alle vicine quando venivano in visita, enumerandone le virtù e i meriti. Accanto alla fòrmica – che io sfioravo con cautela convinto fosse composta da un numero infinito di formiche frullate insieme – l'altro eroe della casa era il moplèn. La rivedo ancora sul balcone sventolare fiera un catino azzurro, proclamando ad alta voce: «È di moplèn!», per suscitare l'ammirazione delle dirimpettaie.

Il sintetico – l'alfiere della modernità – aveva fatto irruzione nelle nostre vite. Da poco era arrivato anche il televisore, prima in una casa, poi in un'altra e in un'altra ancora, fino a diventare in pochi anni un indispensabile componente della famiglia. All'inizio non potevamo permetterci un apparecchio nostro, poi, quando anche avremmo potuto, mia madre decise di non averlo per delicatezza verso mio padre.

«Che cos'è questa televisione di cui tutti parlano?» aveva chiesto un giorno mio padre, a tavola. «La gente sgomita nei bar per andare a vederla e la voce è così forte che si sente in tutta la strada.»

«È come una radio» era stata la risposta di mia madre, mentre tagliava il pollo «ma molto più grande e ha il vetro davanti. Sembra un acquario e dentro ci sono delle persone che parlano e si muovono.»

«Come in gabbia?»

«In un certo senso, sì.»

«Che stupidata! Non è meglio vederle libere? E poi chi gliclo fa fare di chiudersi là dentro?»

«Si vedono anche i cowboy» avevo tentato allora timidamente in una sorta di sussurro, ma nessuno mi aveva dato retta.

Così, imbarazzata dall'immagine di noi due davanti al video mentre lui girava inquieto per casa – o forse terrorizzata dall'idea che, ogni pochi minuti, chiedesse "adesso cosa succede?" – mia madre rinunciò a quel feticcio che ormai la maggior parte delle sue conoscenti possedeva da tempo.

Avevamo la radio, e questo doveva bastare. Ogni sera ci riunivamo in religioso silenzio in salotto davanti al mastodontico apparecchio a sentire il giornale radio e poi, dopo cena, ascoltavamo qualche commedia o dei concerti di musica classica. «Ascolta!» mi diceva mio padre. «Ascolta ché ti fai una cultura!»

Qualche sera, però, con la scusa che dovevo fare i compiti e che mia madre doveva aiutarmi, ci ritiravamo nella mia cameretta lasciandolo solo in cucina. Con dei bicchieri a fare da altoparlante, incollavamo le nostre orecchie alla parete per sentire, dalla televisione dei vicini, i programmi allora più in voga: *Il Musichiere* o *Lascia o raddoppia*. Rito che ripetevo in solitudine, nel pomeriggio, non appena sentivo i gioiosi squilli della sigla della *TV dei ragazzi*.

Quelle serate trascorse gomito a gomito, il linguaggio di sguardi e cenni che avevamo inventato per gestire questa nostra segretezza sono rimasti nella mia memoria come i rari – se non unici – momenti di tenera affettuosità tra me e mia madre.

Che la nostra non fosse una famiglia come le altre me ne sono accorto soltanto a sei anni, al momento di entrare a scuola. Fino ad allora avevo creduto che tutti i padri tuonassero ai loro figli: «Ascolta!» mentre le madri s'aggiravano affaccendate per casa. I padri sentivano e le madri vedevano. Su questo equilibrio si reggeva il mondo.

Mio padre non era nato cieco, lo era diventato a quattordici anni a causa delle schegge di una bomba. Sempre la stessa bomba aveva ucciso la sua amata sorella e il suo corpo dilaniato era stata l'ultima immagine impressa sulla sua retina di ragazzo.

Da generazioni la sua famiglia viveva a Zara, la nonna era figlia di piccoli proprietari terrieri e il nonno era un medico condotto. Al momento del bombardamento suo padre, mio nonno, era già stato ucciso dai partigiani, per questo avevano lasciato la campagna per trasferirsi in città. Usciti dalle macerie fumanti, erano stati soccorsi dalla Croce rossa e poi imbarcati per raggiungere l'Italia. All'epoca non c'erano psicologi, psicofarmaci, unità di soccorso ad aiutarti, quello che ti succedeva riguardava soltanto te – era il tuo destino e con quello dovevi fare i conti.

«Ormai potresti anche fare un trapianto» gli aveva suggerito qualcuno, negli ultimi anni della sua vita. «Due occhi nuovi per vedere il mondo...» ma lui, seccato, aveva agitato la mano davanti al volto, come per scacciare una mosca.

«C'è una ragione per ogni cosa.»

Era questa una delle frasi che ripeteva più spesso.

Crescendo ho cercato di capire che cosa potesse essere successo nella sua testa, nel suo cuore – perdere la casa, gli affetti più cari, il mondo che si è conosciuto a quattordici anni e sprofondare nel buio, sapendo che quel buio sarebbe stato una prigione da cui non avrebbe mai potuto evadere. Il buio era stato immediato, totale, mi chiedevo, una spugna d'inchiostro passata brutalmente su ogni luogo della memoria, o invece i colori, i volti, i paesaggi erano ancora lì presenti con la stessa vividezza dello sguardo?

E se erano lì, erano in grado di rimanervi oppure – come le vecchie polaroid smangiate dalla luce – venivano sbocconcellati dalle tenebre che danzavano intorno?

E che cosa voleva dire sapere che il volto della propria madre, del proprio padre, il colore dei campi di grano accarezzati dal vento stavano sparendo per sempre?

Dove ritrovarli? Come fermarsi? In che modo ancorarsi?

Me lo sono domandato spesso, ma non ho mai avuto il coraggio di chiederglielo. Così come non gli ho mai chiesto nulla sulla sua vita di prima, quando era un ragazzo come tutti gli altri e non quello davanti a cui si bisbigliava «poveretto».

Rimasto solo con la madre, si era trasferito ad Ancona e lì, con grande caparbietà, era riuscito a finire le superiori. Avrebbe poi voluto studiare legge, ma la situazione economica, unita al suo limite, gli aveva impedito di realizzare quel desiderio. Era stato così assunto come centralinista al comune e, dopo un anno, aveva conosciuto mia madre alla fermata di un autobus.

«Che numero sta arrivando?»

«La quindici!» aveva risposto una voce accanto a lui.

A mio padre quella voce era piaciuta molto e così le aveva offerto il braccio.

«Sarebbe così gentile da accompagnarmi?»

Con goffo imbarazzo, mia madre l'aveva aiutato a

salire sull'autobus. Scendendo, si era anche offerta di accompagnarlo fino a casa.

La domenica seguente erano andati a passeggiare a Numana. Davanti al mare aperto, mio padre aveva spalancato le braccia. «Ecco, adesso sento davvero l'odore di casa!»

Dove casa, naturalmente, stava per Zara e le terre al di là del mare. Seduti sulla sabbia scaldata dal sole di maggio, le aveva poi parlato – per la prima e unica volta – della sua infanzia e, due settimane dopo, le aveva chiesto la mano. «Sì» era stata la risposta di mia madre, dopo una breve esitazione.

Mio padre era un bell'uomo, alto, forte, con lineamenti marcati e regolari, mentre di mia madre tutto si poteva dire tranne che fosse avvenente – una di quelle persone destinate a fare tappezzeria ai balli. Persino il nome era banale, Gina, e aveva il volto deturpato dalle cicatrici dell'acne.

Una volta, durante un capodanno in cui aveva alzato un po' il gomito, mio padre era tornato su quel loro primo incontro di tanti anni prima.

«È così! Appena dalle sue labbra è uscito il numero dell'autobus – la quindici – ho capito che era un bocconcino e che quel bocconcino non potevo farmelo sfuggire!»

Mia madre era arrossita e, per mascherare l'imbarazzo, si era pulita la bocca con il tovagliolo.

Negli anni dell'adolescenza – quando ogni cosa fa ribrezzo – mi sono spesso vergognato dei miei genitori e, in silenzio o a voce alta, ho rinfacciato loro molte cose. Lei l'ha sposato per pena, mi dicevo, per avere una casa calda e i catini di moplèn, lui l'ha fatto soltanto per avere una serva senza doverla pagare. Nella follia di quell'età mi ero convinto di essere figlio di una banale convenienza e che l'amplesso da cui ero nato era stato soltanto il grigio adempiere a un contratto. Soltanto a quel capodanno – uno dei loro ultimi – ho avuto il dono di vedersi infrangere l'ottusità dei miei pensieri. Ero stato concepito nell'amore e, fino ad allora, non me ne ero accorto.

cinque

D'inverno, da queste parti, le giornate sono lunghe, non passa quasi nessuno. Ho una piccola radio che si carica con il sole, me l'ha regalata una signora che si è fermata a parlare con me l'estate scorsa. Non ne sentivo la mancanza, ma rifiutare un regalo è un gesto di grande indelicatezza, così per mesi quella piccola scatola nera è rimasta su una mensola della cucina.

Poi, quest'autunno, dopo giorni di pioggia interminabili, l'ho accesa. La prima impressione è stata quella di una ferita: due conduttori, con toni esagitati, parlavano di assolute sciocchezze. Al primo intervento musicale ho cambiato canale, ma non mi è andata molto meglio e così, dopo un paio di altri tentativi, l'ho spenta. Avevo la netta sensazione che qualcuno mi avesse preso per le spalle e mi avesse scosso con violenza. Tutti i miei pensieri, tutta la mia energia erano sottosopra.

Ho dovuto respirare a lungo, ascoltando il rassicurante ticchettio dell'orologio sulla parete, per riuscire a calmarmi. Respiro, crepitio del fuoco, regolarità del tempo. In pochi minuti sono tornato in me stesso.

Nei giorni seguenti ho imparato ad addomesticarla. Ora so a che ora aprirla e su quale canale così, invece di farmi travolgere da quella piena di sconvolgente agitazione, ascolto quello che succede nel mondo. Non sempre, non ogni giorno – soltanto quando il mio cuore è abbastanza forte da accogliere il dolore.

Mi sono spesso chiesto se la solitudine esaspera la sensibilità o se si sceglie la solitudine perché si è esasperati dalla sensibilità.

Non ho mai saputo rispondermi.

Da bambino piangevo molto facilmente.

Non piangevo per insoddisfazione, per capriccio. Piangevo perché vedevo il dolore e non sapevo farmene una ragione.

Piangevo davanti al mendicante, davanti ad una vecchia tutta storta che barcollava sul suo bastone, ero scosso dai singhiozzi davanti al corpo agonizzante di un gattino già invaso dalle larve delle mosche. Piangevo e quel pianto era una cosa nascosta, provavo pudore per questa mia eccessiva sensibilità. Mi guardavo intorno e vedevo che nessun altro piangeva e così, oltre al pudore, provavo anche uno straordinario senso di solitudine. Quello che io vedevo, gli altri non sembravano notarlo, il loro sguardo si fermava alla forma – il povero, la vecchia, il gatto morente. La domanda nascosta dietro quelle creature pareva non affacciarsi alle loro menti.

«Cosa vuoi, Gina,» avevo sentito una volta dire a mia madre da una sua ex collega in visita «con un padre del genere è normale che non sia come tutti gli altri, ne ho visti spesso di bambini così...»

«Così come?»

«Fragili. Più fragili, troppo fragili.»

Fragile!

Fino ad allora avevo collegato questa parola soltanto alle scatole che contenevano oggetti facili da rompere. Non avevo mai immaginato che tra me e il vetro ci fosse un qualche tipo di relazione, che anche io potessi essere un lampadario di Murano o un bicchiere di cristallo – qualcosa insomma che potesse andare in mille pezzi.

Ero davvero fragile?

Sì, ero fragile.

Veniva davvero da mio padre questa fragilità?

Non ho mai saputo rispondermi.

Mio padre era un uomo forte e retto. Se non avesse avuto la limitazione della cecità, avrebbe letteralmente ribaltato il mondo. Non era lui come persona, ma la sua condizione ad avermi spinto ad avere un grado diverso di sensibilità – la sua condizione, unita al suo passato. La morte violenta di suo padre e di sua sorella, la perdita di ogni cosa, la cecità avevano forse lasciato qualche traccia nel suo Dna e quella traccia – traccia di devastazione – si era trasferita dentro di me; perché

41

non sono solo il colore degli occhi o la forma del naso a venire trasferiti da un genitore a un figlio, ma, probabilmente, anche tutto il dolore e la follia e la distruzione vissuti dalle generazioni precedenti. Per quel che mi riguarda, potrei dire che ho gli occhi verdi, il naso grande e dritto di mio nonno e che in me riposa anche una buona parte degli orrori del Novecento.

Ma, oltre l'ereditarietà genetica, c'è stato probabilmente anche il vivere al suo fianco, l'imparare ad ascoltare, ad annusare, cose che gli altri bambini non sapevano fare. Quando andavamo in campagna dai nonni passeggiavamo nel bosco e diceva: «Senti, Matteo? È passata da poco una volpe...» oppure «Stiamo attenti, non molto lontano ci sono dei cinghiali e hanno i piccoli...».

Sì, quando eravamo insieme eravamo come due cani, annusavamo, ascoltavamo. Lui era il capobranco ed io il suo cucciolo. Lui insegnava ed io imparavo. Così, nella mia fragilità, probabilmente c'era anche questo – non farsi ingannare dalla vista. La visione seduce con la sua apparenza di certezza. Vedi le cose e sei convinto che la realtà sia solo quella, non ti interroghi, non vai avanti perché ti accontenti di quello che vedi.

«Chi vede non vede niente» ripeteva spesso mio padre.

Da piccolo pensavo che fosse soltanto una battuta ma, crescendo, ho capito che mio padre non scherzava affatto. Lui vedeva cose che nessun altro era in grado di vedere. Annusava, ascoltava, toccava. Dove altri restavano ingannati, lui vedeva la verità. Non era possibile fingere davanti a lui, né mentire. Non era possibile essere diversi da quelli che si era.

A volte, quando cammino solitario nel bosco – e il bosco è il bosco d'autunno, con le dita adunche dei rami spogli che si sporgono a ghermirti – mi torna spesso in mente la fiaba di Pollicino. Anche se in realtà le detestavo – avevo il terrore degli orchi, delle streghe, dei lupi – mia madre me le leggeva spesso, credo fosse convinta facesse parte dei suoi doveri di madre. Ricordi la sua storia? Pollicino viene portato lontano dalla casa dei suoi genitori ma lui vuole tornarci e così, lungo il percorso, semina di nascosto dei sassolini bianchi. Saranno proprio quei sassolini a permettergli di tornare.

Così, mentre la neve scricchiola sotto le suole dei miei scarponi, mi chiedo spesso, dove sono i miei sassi? Dov'è la traccia che, dal modesto appartamento di Ancona, mi ha portato a vivere solo quassù sui monti? Non è una traccia lineare e forse non è neanche perfettamente visibile. Se dovessi usarla per tornare indietro, probabilmente mi smarrirei più e più volte. Perché tanto spesso, avanzando, mi sono smarrito nei miei giorni? Avanzavo, o piuttosto giravo su me stesso, mi attorcigliavo, mi accartocciavo? E chi tracciava quel sentiero lungo cui lasciavo cadere i sassi? Lo tracciavo davvero io, com'ero convinto appena mi sono messo in marcia o, assieme a me, sopra di me, accanto a me, giocava qualcun altro?

Era stato lui a farci incontrare?

Il destino?

Per un tratto i nostri sassolini sono caduti uno accanto all'altro, regolarmente. Io facevo un passo e tu ne facevi un altro della stessa lunghezza. Io ti aspettavo e tu mi raggiungevi, io ti raggiungevo e tu mi aspettavi. Eravamo convinti che saremmo andati avanti così per sempre. Invece ora cammino nel bosco e le mie impronte sono impronte solitarie. Nessuno cammina accanto a me, nessuno mi segue o mi precede. Una forbice è scesa e ha reciso i fili che ci tenevano uniti.

sei

Chissà se, fino dal momento in cui siamo venuti al mondo, eravamo destinati ad incontrarci. Nati nello stesso ospedale, a pochi mesi di distanza – tu nel cuore dell'estate, io in pieno inverno – siamo cresciuti divisi soltanto da qualche fermata di autobus, magari abbiamo anche partecipato alla stessa corsa campestre, eppure, fino ai nostri diciotto anni, siamo stati dei totali estranei.

Che cosa sarebbe successo se, quel giorno, non ci fossimo seduti accanto alla stessa assemblea, se tu non avessi sospirato ad un certo punto: «Noia abissale» e io non ti avessi sussurrato: «Concordo»?

Era una giornata rigida, soffiava la tramontana e dalle nostre bocche uscivano nuvole di vapore. Siamo andati in un bar e ti ho offerto un cappuccino con una pasta. Parlavi con foga e stupore. C'era calore in tutto quello che dicevi. Io ascoltavo assorto, più rapito dalla luce dei tuoi occhi che dalle tue parole.

Ti ho poi accompagnato all'autobus e tu, salendo, mentre le porte si stavano chiudendo, ti sei girata e hai detto: «Mi chiamo Nora».

«Matteo!» ho gridato, correndo, ma temo che tu abbia visto soltanto le mie labbra muoversi come quelle di un pesce.

Che cosa sarebbe successo se quel giorno non fossi andato all'assemblea, se non ci fossi venuta tu, se ti fossi seduta in un posto diverso? Ti avrei incontrato in un altro luogo, un mese più tardi, un anno più tardi? I nostri nomi, i nostri destini erano comunque già legati da un indissolubile nodo o invece eravamo intercambiabili? Tu avresti incontrato un Giuseppe o un Luca ed io una Giovanna o una Maria che mi aspettava dietro l'angolo? Saremmo stati felici, infelici, mediamente infelici, avremmo avuto altre case, altri figli, altri suoceri?

Non lo so.

So soltanto che dal momento in cui, in quel bar, tu sei scoppiata a ridere, dicendo: «Adesso sembro un pupazzo di neve» perché, con il respiro, lo zucchero a velo della pasta ti aveva inondato il viso, qualcosa di profondo è cambiato all'interno di me. Non era il cuore, non era la mente. Dentro di me si era creato uno spazio nuovo che prima non esisteva. In quello spazio c'era un vuoto. Un vuoto inquieto, assetato, che richiedeva una presenza.

E quella presenza eri tu.

Forse la legge dell'amore non è molto diversa da quella della meteorologia. Come l'aria tende sempre a muoversi da un'area di alta pressione ad una di bassa, così, improvvisamente, in noi si crea questo vuoto. E questo vuoto attira il vento. Un vento leggero, se la differenza di pressione è poca. Un uragano, se lo sbalzo, invece, è alto.

Quando l'autobus scomparve in fondo alla strada, capii che niente più sarebbe stato come prima. C'era il tuo nome dentro di me, echeggiava in quella stanza vuota, e quel nome pronunciato ossessivamente dentro di me non era molto diverso dai richiami dei cacciatori. *Noranoranora*, ripetevo in ogni momento della giornata. *Noranoranora* era il mantra con cui cercavo di catturare la tua presenza.

«È questo l'amore?» mi domandavo camminando per le strade. Questo sentirsi improvvisamente leggeri e pesanti allo stesso tempo? Quando pensavo ai tuoi occhi, alle tue labbra, a quando le avrei baciate, mi sentivo leggero, euforico, ma se mi sfiorava il dubbio che non lo avrei mai fatto, mi sembrava di pesare dieci tonnellate.

Chi mi diceva che tu non eri già impegnata?

Eri bella, attraente, piena di luce. I corteggiatori dovevano svolazzarti intorno come api intorno alla lavanda.

E anche se non lo eri, chi poteva garantirmi che mi avresti visto, che non sarei stato per sempre uno dei tanti? Mi ero sempre ritenuto, infatti, un tipo piuttosto scialbo. Avevo il mio mondo, i miei pensieri, ma in questo mondo, in questi pensieri non c'era nessuna fantasia, nessuna eccentricità che potesse interessarti. Non ero abile in nessuno sport, non avevo nessuna passione politica. Più che a fare la rivoluzione, in quegli anni, pensavo soltanto a sopravvivere alla tristezza che mi suscitavano i miei genitori. Volevo diventare grande, volevo essere libero, fuggire a mille miglia da quell'appartamento lustro come una bomboniera, da quei pranzi, da quelle cene, da quelle domeniche in cui non c'era spazio per le mie inquietudini.

Mio padre cominciò a cambiare intorno ai miei dodici anni. Era come se la sua energia, fino a quel momento solare, avesse cominciato ad affievolirsi, a ritirarsi. Il mondo in cui era costretto a vivere, la noia di un lavoro che non lo soddisfaceva, la mancanza di amici, il sospetto che le persone vedessero la sua menomazione più che lui lo stavano spingendo in una terra desolata in cui nessuno poteva raggiungerlo.

Trascorreva sempre più tempo da solo. Varie volte lo vedevo, dopo il lavoro, seduto su una panchina del parco del Passetto, il bastone bianco e nero tra le gambe, un'espressione malinconica sul viso. Non ho mai avuto il coraggio di chiamarlo, di dirgli che ero lì.

Una volta mi aveva raccontato che il suo sogno, quando era piccolo, era stato quello di navigare. Voleva frequentare il nautico e diventare comandante perché non c'era niente che amasse più del mare. In estate portava una sedia sul balcone della cucina e stava lì ore a sentire le navi entrare e uscire dal porto. Ogni tanto mi chiedeva conferma delle sue intuizioni. «È una petroliera, vero?» Mi diceva di descriverla – di che colore era, come si chiamava, a che punto stava la linea di galleggiamento, cioè se era carica o meno.

Quando invece arrivava il traghetto dell'Adriatica Navigazione mi chiedeva soltanto di guardare l'ora. Era in ritardo? In orario? Forse aveva trovato il mare grosso. Il mare Adriatico può scatenare tempeste terribili, malgrado sia quasi un lago. Anzi, forse proprio per questo, perché tutte le energie delle correnti sono ristrette dalle sponde. Ascoltava i gabbiani reali dal balcone, i differenti versi che facevano; e se, per caso, tra di loro si inseriva una sterna, subito alzava il dito dicendo: «Hai sentito Matteo? C'è una nuova presenza».

Viveva ormai praticamente sul mare e sulle terre nascoste appena al di là dell'orizzonte, pensando alla sua casa, ai luoghi e agli affetti che gli erano stati strappati così crudelmente. Quella breve apertura sulla vita che aveva avuto con la mia nascita – c'era un cucciolo d'uomo da istruire, da allevare e quel cucciolo era una parte di sé – si stava chiudendo.

Io ormai andavo in giro da solo, cominciavo ad essere indipendente, ad avere i miei tempi, i miei ritmi – e a desiderare che i miei tempi ed i miei ritmi fossero rispettati. Nell'incoscienza vitale dei miei quattordici anni non mi accorgevo della sofferenza di mio padre.

Mi ossessionava per ore con racconti sulla vita in campagna, di come, durante la vendemmia, avesse aiutato a pestare l'uva con i piedi e di come fossero state uniche le ciliegie che si raccoglievano da quelle parti – «marasche» diceva – e proprio da quelle si estraeva il Maraschino famoso in tutto il mondo. Mi raccontava il modo in cui andava a pescare con la togna sul lungomare e di come suo padre – il dottore – considerasse il lavoro una vera missione, e di sua sorella che studiava canto e che già a quattordici anni aveva la voce di un angelo.

Appena attaccava con le prime battute, mia madre cominciava a sparecchiare, io tentavo timidamente di dire: «Devo fare i compiti», ma era tutto inutile, replicava subito: «Hai tutto il pomeriggio per farli!». Di sparire in silenzio non se ne parlava proprio; appena mi muovevo di un millimetro sulla sedia, mio padre diceva: «Cosa fai? Dove vai?».

A quell'epoca – io andavo in quarta ginnasio – aveva cominciato a ventilare l'ipotesi di prendersi un cane. L'associazione dei ciechi gliene aveva offerto uno già addestrato, una femmina di pastore tedesco. Sapeva già il nome, Laika. Un giorno era tornato a casa stringendo trionfante due ciotole in mano, una per l'acqua, una per il cibo.

Ma mia madre fu irremovibile. «Un cane? Mai! Non ne hai alcun bisogno, la casa è troppo piccola, porterebbe sporco e cattivo odore. E poi ti sembra bello? Girare per la strada con un cane con la croce sopra? La gente direbbe: "E la moglie che ci sta a fare?". Se vuoi andare da qualche parte, me lo chiedi ed io ti ci porto.»

Mio padre tentò una debole resistenza, poi rinunciò al cane e si chiuse nel suo silenzio.

Di quanto dolore sono fatte le nostre vite?

Di quanto dolore evitabile?

Alle volte penso che al momento della nostra morte non vedremo scorrere tutta la vita, come dicono, ma soltanto una piccola parte – i gesti d'amore mancati, la carezza non fatta, la comprensione non data, quel muso inutile tenuto troppo a lungo, quella caparbietà nutrita soltanto di se stessa.

Nei suoi ultimi istanti di vita, ne sono sicuro, mia madre avrebbe voluto regalare un intero canile a mio padre, ma troppo tardi.

Troppo tardi.

Solo invecchiando ci si rende conto della gravità di certe parole e tutto ciò che abbiamo mancato – per superficialità, per egoismo, per fretta – comincia a pesare sul nostro cuore, ma il tempo ormai è andato e non torna più indietro.

Avrei potuto schierarmi con mio padre, aiutarlo a fargli avere il cane, avrei potuto trascorrere più tempo con lui e con i suoi racconti; invece di sbuffare, avrei potuto fare domande, mettermi, per un istante, nei suoi panni, invece di continuare a dibattermi nei miei.

Uscire da se stessi. Non è forse questo il segreto per sfuggire al "troppo tardi"? Ma quando lo capisci purtroppo la tua vita è andata troppo avanti.

Troppo avanti.

Troppo tardi.

Troppa amarezza.

Troppo dolore.

Troppo dolore che si poteva evitare.

sette

Con il tempo, ho imparato a riconoscere le persone già dal loro passo. Appena le vedo comparire in fondo al prato, intuisco la zavorra che si portano dietro. Certo, mi aiuta il mio essere stato medico per così tanto tempo. In ogni persona intravedo l'anamnesi – ciò che c'è stato prima, ciò che potrebbe venire dopo – ma quassù è subentrato qualcosa di diverso. I lunghi mesi di solitudine, le notti silenziose, la compagnia soltanto dei rumori della natura, hanno affinato in me un altro tipo di percezione.

Ascoltando le infelicità delle persone che vengono a parlarmi, spesso mi domando se ti sarebbe piaciuto il mondo di adesso – questo mondo sempre di corsa, affastellato di cose, prigioniero di una volgarità che inquina ogni respiro. Non ho dubbi che la prima cosa che ti avrebbe irritato sarebbe stata senz'altro il rumore. Tra tutte le forme di violenza è quella più sottile, più devastante.

Ricordi quando mi parlavi di come ai bambini bisognasse insegnare ad ascoltare? «Se gli insegni ad ascoltare, li àncori a qualcosa. Se le orecchie sono distratte, volano via al primo refolo di vento. Il silenzio – che tutti tanto temono – in realtà non esiste, ogni ambiente ha la sua voce» dicevi. «Bisogna imparare ad ascoltare.»

I bambini erano la tua passione. Per cambiare il mondo, è da lì che si deve ricominciare, ripetevi sempre. Leggevi libri che a me – all'epoca – sembravano strampalati. Ne ricordo uno sulla gravidanza. A me già bastava quello che stavo imparando sui testi di medicina, ma tu insistevi nel dire che quello che studiavo non era che la scorza, tutto ciò che era davvero importante si nascondeva sotto. Secondo quel testo bisognava partorire in acqua. Quando obiettavo che neppure le foche lo facevano, ti mettevi a ridere. «Ma le foche non scrivono *La Divina Commedia*! Perché tu sei tu, perché io sono io, te lo sei mai domandato? Succede tutto là dentro, in quei mesi. I bambini scelgono i genitori di cui hanno bisogno per crescere.»

Io parlavo di fisiologia, di genetica e tu parlavi di cose che non erano misurabili in alcun modo. Molte delle tue riflessioni le consideravo soltanto frutto della tua esorbitante fantasia. Dovevi sempre costruire qualcosa di straordinario sulla realtà e io non sempre riuscivo a seguirti.

Solo una volta abbiamo litigato in modo feroce, ricordi? Eri andata a trovare tua madre qualche giorno ed io avevo approfittato della tua assenza per farti una sorpresa. Mancavano pochi mesi alla nascita del nostro primo figlio e così avevo deciso di preparare la cameretta, lavorando con felice entusiasmo.

Al tuo ritorno, ho aperto la porta della stanza pieno di orgoglio e tu, invece di gioire – come secondo me avresti dovuto – sei impallidita di colpo. «Come ti è venuto in mente?» hai sibilato, gli occhi trasformati in fessure. «Come ti è venuto in mente?»

«Volevo farti una sorpresa.»

«Come ti è saltato in mente di usare il rosso? Rosso per la camera di nostro figlio! Lo sai il rosso per cosa si usa, per eccitare i tori! Lo sai il rosso che colore è? È il colore del sangue, il colore della violenza! Lui aprirà gli occhi e intorno a sé vedrà solo sangue sangue sangue, perché quell'idiota di suo padre...»

Ti ho interrotto, furioso. «Non ti permetto di trattarmi così! Ho lavorato tre giorni, volevo fare una cosa bella.»

«Ma perché il rosso? Perché?»

«Per non farlo né rosa né azzurro, perché il rosso adesso lo usano tutti, perché è allegro anche, ecco.»

«Perché è allegro? Perché è allegro?» hai ripetuto con la voce rotta dal pianto. «Perché è allegro! Il colore del sangue è allegro! Non capisci niente, non capisci niente...» e ti sei accasciata per terra, raggomitolandoti su te stessa.

«Sei tu che non capisci niente!» ho gridato e sono uscito dalla stanza, sbattendo la porta.

È stata l'unica notte in cui abbiamo dormito nella stessa casa, in due letti diversi. Ero sorpreso ed offeso dalla tua reazione, dal non avere capito la mia buona volontà, il mio desiderio di renderti felice. Tu invece eri addolorata dall'aver scoperto che tuo marito – il padre di tuo figlio – con la sua mente e con il suo cuore arrivava solo fino ad un certo punto – da lì in poi eri sola, e sapevi che, in quella solitudine, avresti dovuto affrontare i tuoi fantasmi.

La mattina dopo sono stato svegliato dal rumore. Eri già nella stanza del bambino, in piedi su uno sgabello, e stavi smontando gli scaffali colore del fuoco che, con tanto amore, avevo appena montato.

Mi sentivo imbarazzato e pieno di vergogna. Eri ancora arrabbiata con me? Si era forse spezzato tra noi qualcosa che non si sarebbe più ricomposto?

Ti sei girata verso di me con il cacciavite in mano – il tuo volto recava i segni di una notte insonne – mi hai fatto cenno di avvicinarmi come fossi una regina su un trono che concedeva udienza.

«Chiedi perdono a tuo figlio» hai detto imperiosa, ma, nel dirlo, gli occhi ti ridevano. Allora mi sono avvicinato e ti ho baciato la pancia.

«Perdono» ho detto, accennando una genuflessione.

«Perdona tuo padre che, come tutti gli uomini, non capisce una grande quantità di cose... e che farà di tutto perché tu diventi un po' meglio di lui.»

«Farò di tutto» ho ripetuto «perché tu diventi migliore di me.»

Insieme più tardi siamo usciti a comprare il nuovo colore. Ti sei orientata subito sul verde. Dopo lunghi discorsi – che avvenivano principalmente nella tua testa – hai scelto un verde chiaro ma non sbiadito.

«È il colore dell'erba di maggio» hai detto «quando la natura si apre alla vita.»

Sei stata tu a scegliere il nome per nostro figlio. Eri sicura che sarebbe stato un maschio, e mio padre, posando delicatamente le mani sulla tua pancia, te lo aveva confermato.

«Maschio, sicuro, è un maschio.»

«Davide. Si chiamerà Davide.»

«È un nome della tua famiglia?» ha domandato mia madre.

«No» hai risposto. «È il nome di un re. Nostro figlio sarà un re.»

La gravidanza si è svolta senza alcun problema. Io ero molto più ansioso di te. Stai attenta qua, dicevo, stai attenta là, facciamo questa analisi, oppure quest'altra. «Perché non ti calmi?» suggerivi bonaria. «Perché so tutto quello che potrebbe succedere.»

Invece anche il parto fu per te una passeggiata. Avevi voluto partorire a casa, con mio grande terrore. «Altrimenti,» hai detto, provocandomi «perché mai avrei scelto un marito medico?»

«Medico, ma non ostetrico.»

«L'ostetrica la chiameremo.»

E così è stato. Non hai partorito nella vasca, come sognavi, ma nel tuo letto. Nascere e morire, ripetevi, bisogna farlo nello stesso posto. Avevi orrore degli ospedali. Non avresti mai sopportato di dare alla luce tuo figlio sotto la luce fredda del neon, tra tanto rumore, con tutto quell'acciaio e quel gelo intorno. Ma la cosa che soprattutto non avresti potuto tollerare sarebbe stata quella di venir subito divisa dal tuo bambino. Appena nato, dicevi, il cucciolo ha bisogno di una sola cosa – del calore della sua mamma; se non lo sente, la prima cosa che penserà – e a ragione – è che il mondo è un luogo di terrore, che può arrivare una belva e strapparti dal caldo in cui sei cresciuto. La belva sono le mani delle infermiere, i bagnetti, le culle di plastica, il pianto disperato a cui nessuno risponde. Se devasti i primi giorni, devasti una vita intera, ripetevi. Di questo eri assolutamente convinta. L'incrinatura dell'assenza – era questo che rendeva tutti straordinariamente fragili, incapaci di abbandonarsi alla pienezza dell'amore.

Spesso, quando lavoravo in corsia, mi sono trovato a riflettere sulle tue parole. In che cosa si è trasformata la morte? In qualcosa davanti a cui si mette – quando si mette – un paravento, un fatto vergognoso, nascosto, il più delle volte consumato in assoluta solitudine, e dopo il fatto, sei solo un numero, uno spazio da sgombrare, un letto da rifare, in attesa che qualcun altro torni a morirvi dentro. La follia dei nostri giorni non è forse anche legata a questo? È il neon a illuminare i nostri istanti più intimi, più misteriosi e, sotto il neon, trionfa la gelida efficienza della tecnica.

otto

Una volta è venuta fin quassù una giornalista. Aveva sentito parlare un suo amico dell'uomo che vive solitario e voleva fare un articolo. Dire di sì è una cosa che ho imparato con gli anni e con il silenzio; ogni azione, anche più piccola, può racchiudere in sé un piccolo mistero, un seme che non hai visto e che può germogliare, grazie alla tua accettazione.

Era una donna giovane e sembrava piuttosto sicura di sé. Come tutte le persone sicure, era convinta di sapere chi fossi e ogni sua domanda non era che un tentativo di inserirmi in uno stampino che aveva già pronto per me. Più andava avanti, però, più sembrava insoddisfatta. Faceva domande indiscrete e io rispondevo raccontando la mia vita quassù, del silenzio, delle pecore, delle cose che avevo scoperto. Le ho raccontato anche di come, un giorno, la mia gatta avesse allattato – insieme ai suoi cuccioli – uno di scoiattolo e di come quel figlio, in breve, fosse diventato il suo prediletto.

«Non credo agli idilli» mi aveva interrotto, impaziente.

«E a che cosa crede?»

«Alla verità.»

«E che cos'è la verità?»

«La verità è che lei nasconde qualcosa.»

«Pensa che sia un assassino?»

«Non so. Comunque maschera, simula. C'è qualcosa di irritante in lei.»

«Che cosa le dà tanto fastidio?»

«Il fatto che lei sembra avere delle certezze. Parla del "bene", del "bello" come se esistessero...»

«Perché, se lei avesse un figlio, non lo troverebbe bello?»

Si è fermata un istante, indecisa. «Sì, probabilmente sì. Ma sarebbe bello per me, un fatto individuale insomma. Il bello come concetto assoluto non esiste.»

«Perché non esiste l'Assoluto?»

«Certo che no.»

«E chi le ha detto che non esiste?»

«La scienza ha una spiegazione per tutto. E se ancora non ce l'ha, la troverà presto.»

«Lei sa quando morirà?»

«No, ma cosa c'entra? Tranne i condannati a morte non lo sa nessuno.»

«Appunto.»

«Da tempo, l'antropologia ci ha spiegato che credere in ciò che non si vede è una necessità delle menti primitive. Fin dalle prime culture dell'uomo ci sono testimonianze di queste forme di superstizione, e la genetica e la biochimica hanno dato fondamento scientifico a queste intuizioni. Quello che crede sia fuori di lei, in realtà è al suo interno: una minuscola area del cervello fatta per provare emozioni forti. Tutte le visioni dei santi si potrebbero spiegare e riprodurre tranquillamente in laboratorio.»

L'ho interrotta: «È ancora viva sua madre?».

Un lampo di perplessità ha attraversato il suo sguardo; stava percorrendo una strada esplorata mille volte, conosceva ogni salita, ogni curva, ogni discesa; sapeva soprattutto la destinazione; non aveva mai sospettato che ci potesse essere la possibilità di una deviazione.

«No. È morta tre anni fa.»

«Ha pianto?»

«Certo, ho pianto, ma non c'è niente di strano. Tutti piangono quando muoiono le madri.»

«E questo non le suggerisce niente?»

«Che cosa dovrebbe suggerirmi?»

«C'è un'area del cervello per spiegare anche questo?»

«Naturalmente sì.»

«Dunque il dolore che lei provava era pura chimica?»

«Lei non può farmi queste domande.»

«Perché no?»

«Perché sono io che faccio l'intervista.»

«Ma le interviste sono un dialogo. Lei è venuta quassù perché era incuriosita da me, non sono stato io a chiederle di venire. Voleva scoprire chi sono, si è preparata, ha salito la montagna e adesso non accetta che io non sia quello che lei sperava. Ho l'impressione che, mentalmente, lei percorra sempre lo stesso pezzo di autostrada; nel momento in cui entra, sa già dove si trova il casello da cui uscirà, conosce il paesaggio a menadito, le case, i palazzi, i campi, i capannoni, tutto è messo lì in fila a confermare la giustezza del suo cammino. Nel suo muoversi non contempla mai il rischio.»

«E quale sarebbe il rischio?»

«Quello di stupirsi.»

«E perché dovrei stupirmi?»

«Perché, all'improvviso, scopre che qualcosa è diverso da come l'aveva immaginato.»

«Lei mi sta confermando quello che avevo già sentito dire da qualcuno.»

«E cioè?»

«Che è un abile manipolatore. Usa il suo fascino, la sua indiscutibile dialettica per portare le persone dove vuole. Perché lo fa? Per il gusto del potere? Per la gloria? Magari promette anche miracoli... Ha mai fatto miracoli?»

«Tutti possiamo fare miracoli.»

È scoppiata a ridere, una risata fredda, nervosa.

«Pensa dunque di meritare la fama che la circonda?»

Ho sospirato.

«Sa cosa diceva Madre Teresa di Calcutta a chi la avvicinava per attaccarla? "Ognuno ragiona secondo il marciume che ha dentro."»

La giornalista ha puntato provocatoriamente i suoi occhi nei miei. Il suo sguardo aveva la lucidità opaca della ceramica.

«E scommetto che lei naturalmente sia immune dal marciume. È troppo perfetto, troppo puro.»

«Al contrario, ne sono pieno fino ai capelli. Non faccio altro che lottare con lui, da quando apro gli occhi a quando li chiudo.»

Ha sorriso, scuotendo una cascata di riccioli ramati.

«Mi scusi, ma adesso davvero non capisco più niente. Lei sta quassù da tanti anni e non è nemmeno un santo?»

Allora con calma le ho raccontato dei giardini zen che avevo visto in Giappone, di tutti quei sassi ordinatamente disposti sulla ghiaia e del fatto che, tra tutti i sassi, ce ne fosse sempre uno che rimaneva invisibile da qualsiasi punto si guardasse. Quel sasso – presente e tuttavia invisibile – è la parte che in ogni vita rimane oscura.

«E quale parte sarebbe?»

«Il mistero della nascita. Il mistero della morte. Il mistero del male che devasta il tempo compreso tra questi due eventi. Nessuno sa perché nasce, nessuno sa quando muore, nessuno sa perché il male, come un inarrestabile inchiostro, invade con la sua oscurità ogni angolo della creazione.»

Sembrava perplessa. «Non lo sa neppure lei?»

«No.»

A quel punto è toccato a lei sospirare. «Questo mi

conferma ciò che avevo intuito fin dall'inizio. Qualcosa non quadra. Se lei non ha risposte, se anche lei è pieno di marciume, cosa ci sta a fare quassù? Perché vivere tanti anni nel gelo, nella solitudine, nelle scomodità, faticando per produrre qualche rapa e un po' di formaggio, per di più senza una donna, senza fare sesso e sostenere di essere felice. È una balla che racconta a se stesso.»

Le ho ribaltato la domanda. «Perché lei che vive in una casa riscaldata, ha il telefonino, internet, una grande sfilza di amici, cibo a volontà e fa sesso quando vuole, è felice?»

I suoi occhi hanno vagato per un po' nel vuoto.

In quel momento la gatta è saltata sul tavolo e, come una regina, si è sdraiata tra noi facendo le fusa.

«Non faccio sesso quando voglio» ha risposto con voce cupa.

«È sposata?»

«No, non trovo le persone con cui farlo.»

«E perché deve farlo?»

«Per divertirmi, per rilassarmi, perché sono ancora giovane, perché fa male alla salute non farlo, perché non sono moralista.»

«Non sarebbe meglio aspettare di innamorarsi?» avevo proposto.

«L'amore non esiste. Esistono solo le convenzioni e le convenzioni rendono prigioniere le persone.»

Ha fatto ancora qualche domanda di malavoglia, senza mai sorridere. Poi, sistemando il registratore e il bloc-notes nella borsa, ha concluso: «Lei recita una parte, ma come biasimarla? Anch'io lo faccio, soltanto che la mia è più confortevole della sua. A differenza di lei, non ho sensi di colpa e non cerco di punirmi. Nella vita tento di afferrare il meglio perché so che non è altro che una commedia e, a teatro, è meglio mettersi in prima fila, non crede?».

«No, non credo» ho detto aiutandola a infilare il giaccone. «È quasi l'una,» ho aggiunto poi «perché non rimane a pranzo? Posso fare le uova delle mie galline. Ieri ho fatto il pane e ho anche un vino discreto.»

Per un istante è rimasta ferma, indecisa; nella ceramica dei suoi occhi si è aperto un minuscolo spiraglio.

«Rimane?» ho incalzato allora.

Le sue palpebre sbattevano veloci.

«Non posso. Entro sera devo essere a Milano. Magari un'altra volta.»

«Tornerà allora?»

Sul suo volto è comparso il sorriso di una bambina straordinariamente triste.

«Credo di avere abbastanza materiale per il servizio.»

«Non può tornare per se stessa?»

«Per quale delle mie maschere?» ha sorriso e, con passo appena un po' meno baldanzoso di quando era arrivata, è sparita verso valle.

nove

Avrei voluto parlare ancora a lungo con quella donna, il suo cuore era così pieno di dolore. Una lastra divideva la sua testa dal cuore. Quante persone vedo arrivare qui in queste condizioni! Persone interiormente frazionate, spezzate, la testa affollata di pensieri e il corpo vuoto, inesistente, oppure rivestito di un'invisibile corazza – la corazza delle idee, di una visione del mondo, di un'efficienza fisica che è pura apparenza. Ogni tanto arrivano uomini che sono delle vere e proprie cattedrali di muscoli; attraversano il prato con passo potente ma, appena mi compaiono davanti, intravedo nei loro occhi un bambino impaurito.

Forse dimentichiamo troppo spesso che, dentro di noi, sopravvive ancora l'uomo primitivo, un uomo le cui leggi di sopravvivenza non sono poi molto diverse da quelle delle grandi scimmie antropomorfe. L'intero funzionamento del nostro organismo ci parla di questo. Siamo fatti per fuggire, per difenderci, per attaccare, per cercare in ogni modo di sopravvivere. In questo senso siamo creature relativamente semplici, conosciamo l'ambiente, i suoi possibili rischi e, su questo ambiente, moduliamo le nostre reazioni. Ma l'ambiente che ci circonda si è evoluto molto più rapidamente di noi, forse anche per questo la situazione ci è sfuggita di mano. Ci sono ovunque stimoli stressanti che non siamo biologicamente in grado di comprendere e, dunque, di controllare. Questo sentirci perennemente in balia dell'ignoto – dove l'ignoto è la minaccia, la possibilità di un qualche tipo di attacco capace di intaccare la stabilità dei nostri giorni. Così gli uomini contemporanei si sono trasformati in una specie di violino con le corde tirate al massimo. Le corde sono il sistema simpatico – è lui che trasforma ogni gesto, ogni pensiero nella contrazione di uno spasmo. Alcune persone, le più sensibili, lo intuiscono e quando arrivano quassù, la prima cosa che dicono è: «Ho proprio bisogno di rilassarmi». «Qui non ci sono idromassaggi» scherzo di solito. «Potrei aiutarla nell'orto, oppure portar fuori le pecore...»

L'uomo antico ci regala l'intuizione di ciò che serve per spezzare la morsa d'acciaio del sistema simpatico: stare nella terra, sulla terra, seguire i semi nel loro cammino, irrigare, estirpare, cogliere i frutti, proteggere le pecore e gli agnelli nel tepore dell'ovile. «Come sono felice» dicono spesso gli ospiti, dopo qualche giorno di questa vita e, nel dirlo, fanno un profondo sospiro. È il diaframma che si libera, si riapre la comunicazione tra la testa e il secondo cervello – altrettanto importante –, quello delle viscere. Vicino alle sue radici, l'uomo può concedersi di esistere nuovamente nella sua totalità.

Non è forse per questo che, al momento di andare in pensione, la maggior parte degli esseri umani non desidera altro che un pezzetto di terra?

Avremmo fatto anche noi così, non credi?

Quando abbiamo dovuto trasferirci a Roma per il mio incarico in ospedale, non ne sei stata affatto felice. «Il cemento mi entra dentro» dicevi. «Con il cemento nelle vene non posso più sognare.» Abbiamo scelto di vivere a Monteverde per questo. In pochi minuti potevi arrivare a piedi a Villa Pamphili e disintossicarti dai veleni che tanto temevi.

Ma poi, col tempo, sei riuscita ad apprezzare anche i lati positivi della grande città, hai conosciuto molte persone, persone con i tuoi stessi interessi; in poco tempo, ne eri certa, saresti riuscita a mettere in piedi il progetto del giardino d'infanzia che tanto desideravi.

In certe sere d'estate, però, quando il calore dell'asfalto saliva dalle finestre aperte – e con il calore, anche il rumore e la puzza delle auto – ti stringevi a me sul divano e mi guardavi: «Non staremo qui per sempre, vero?».

Così iniziavamo a fantasticare sulla nostra vita futura, quando – i figli ormai grandi, magari un bel po' di nipoti – avremmo avuto una bella casa di campagna per accoglierli. «Farò le marmellate,» dicevi «coltiverò i fiori e le verdure e libererò sul prato dei conigli bianchi, come quelli di Alice...»

«E magari, un giorno, si metteranno a parlare.»

«Certo che parleranno, e lo faranno anche le galline.»

A volte, nelle lunghe sere d'inverno – quelle sere che quassù cominciano già alle quattro di pomeriggio – cerco di immaginare come si sarebbe trasformato il tuo volto. Capelli grigi, o bianchi, quante rughe, quali? E il tuo carattere? Saresti riuscita a conservare la gioiosa freschezza di sempre oppure, ad un certo punto, una qualche forma di delusione avrebbe preso il sopravvento? Delusione per il tuo lavoro, per me, per i tuoi figli. Forse, con gli anni, anch'io avrei perso la capacità di starti accanto – la routine, le difficoltà della carriera, il normale irrigidimento che comunque accompagna gli uomini mi avrebbero fatto diventare un marito come tutti gli altri, frettoloso, distratto, magari ancora pieno di desideri o di rimpianti. Chissà, magari a cinquant'anni, da un messaggio nel telefonino, avresti potuto scoprire che, già da tempo, la giovane infermiera che mi faceva da assistente era diventata la mia amante.

«Tutto è già scritto» ripetevi spesso.

«Come lo sai?» ti chiedevo scettico.

«Lo so e basta» rispondevi con un'alzata di spalle.

Eravamo giovani, immersi nella praticità della vita;

70

io più di te, per il mio carattere e il mio lavoro. Ogni tanto mi lasciavi intravedere qualche bagliore e quel bagliore riverberava al mio interno provocando un'indecifrabile inquietudine.

«Perché dici così?» ti chiedevo allora. «Che cosa vedi che io non vedo?»

«Un giorno lo capirai» sorridevi enigmatica.

Vedevi quel giorno?

E se lo vedevi, perché non hai cambiato programma, perché non hai detto «restiamo a casa, andremo là un'altra volta»?

Perché, quando succede qualcosa di irreparabile, non si fa che pensare a quello che si poteva evitare?

Se avessi svoltato a destra invece che a sinistra... se fossi rimasto a letto a dormire... se non avessi risposto a quella telefonata...

Su ogni tragedia si posa una pioggia di «se» e quei «se» diventano lo zaino di pietre che chi ha assistito alla tragedia porterà per sempre sulle spalle. Arrampicandosi sui «se» – come fosse una corda lanciata per salvarci – ci si rende conto che, dopo un «se», ce ne è sempre un altro, e un altro ancora. Si allunga la mano convinti che sia l'ultimo e se ne trovano sempre altri, così alla fine, prima di cadere esausti, ci si deve arrendere. L'unico «se» valido, quello che racchiude tutti gli altri, è solo uno.

Se non fossi mai nato.

Se, quella domenica di novembre, ci fosse stata la pioggia invece che il sole, saremmo rimasti a casa.

La stessa cosa sarebbe successa se Davide avesse avuto la febbre o l'avessi avuta io.

Poteva anche succedere che qualcuno, quella notte, mi rubasse la macchina.

Invece la macchina ci aspettava, fedele, sotto casa.

Se non avessimo fatto l'amore quel dato giorno, tu non saresti stata nuovamente incinta.

Se tu non fossi stata in stato interessante, non avresti deciso di aver bisogno di un'automobile.

Se tu non avessi avuto quell'amica con cui avevi fatto i corsi alla scuola steineriana, non ti sarebbe mai venuto in mente di volere quel modello di macchina – la Renault 4 – che possedeva anche lei.

«Mi servirà per quando avrò l'asilo» dicevi per convincermi, dato che a me sembrava più sensato comprare un'automobile a rate nella concessionaria sotto casa. «E poi,» aggiungevi «perché buttare via i soldi per un'auto nuova? Serve solo per andare da una parte e dall'altra.»

Se non avessi fatto amicizia con Ettore, quel tuo compagno di studi abruzzese, non avresti mai scoperto che lui possedeva una R4 e che la voleva vendere, come non avresti fatto quei salti di felicità in cucina, dicendo: «Sì, sarà mia, la chiamerò Carolina».

Se tu avessi chiesto ad Ettore di portarla lui giù, una volta che veniva a Roma, invece di andare noi a prenderla...

Se tu non mi avessi convinto ad andare quella domenica lassù...

«Mangiamo le castagne, beviamo il vino nuovo e poi, come nei matrimoni, torniamo a casa trionfanti con il nostro corteo di auto.»

Se non ti avessi ascoltato, se il collega non mi avesse concesso il cambio di turno...

Tutti i «se» non sono che schegge di vetro, limatura di ferro, zucchero che si appiccica sotto le scarpe e scricchiola.

È lo stesso scricchiolio delle catene che mi avvolgono da trent'anni. A volte le sento strette fino ad entrare nella carne, a volte sono più sciolte e riempiono la stanza con rumore di ferraglia. Con quelle stesse catene, la sera mi siedo di fronte al fuoco e immagino di averti accanto, avvolta in una coperta, con un libro di poesie in mano e gli occhi stellanti che avevi ogni volta in cui stavi per leggermene una che ti era piaciuta.

dieci

«Ma non si annoia quassù?» mi dicono spesso le persone, arrivando. «Non succede mai niente.»

Il sole oggi ha sciolto la neve, così ho fatto uscire le pecore, le più giovani hanno cominciato a correre per la gioia, mentre le grandi perlustravano il recinto con il muso alla ricerca di un po' di erba tra gli sprazzi di neve.

La felicità degli agnelli è la mia felicità. Anch'io, osservandoli, mi sento pieno di gioia, innocente, totalmente affidato al calore materno.

Da quando sono arrivato qui, quindici anni fa, e questo era un pascolo abbandonato, invaso dai rovi, sono cambiate moltissime cose. È stato questo – lo spettacolo del cambiamento – a non permettere che la noia si insinuasse nei miei giorni. Dopo i primi timori – il timore di non farcela, di non essere capace, di aver fatto il passo più lungo delle gamba – sono iniziate ad arrivare le prime soddisfazioni.

Il terreno, che così faticosamente avevo dissodato, aveva accolto i semi e, da quei semi, erano spuntati i primi germogli: quei germogli erano diventati delle piccole piante che, grazie al mio primitivo sistema di irrigazione, erano sopravvissute all'estate, trasformandosi nel cibo che mi avrebbe permesso di superare l'inverno.

Lo stesso stupore grato l'avevo provato quando, rimestando sul fuoco il latte, ho visto formarsi la ricotta; fino ad allora l'avevo conosciuta soltanto come un prodotto avvolto nella plastica, sui banconi del supermercato.

E quel vecchio melo abbandonato accanto alla casa? Al mio arrivo non era che un inestricabile groviglio di rami. Produceva pochi frutti, non più grandi di una prugna. Prima di potarlo, l'ho osservato per giorni, volevo capire di che cosa avesse realmente bisogno. Ho iniziato il lavoro solo quando mi è parso di udire la sua voce. Poi sono rimasto con il fiato sospeso fino a primavera.

Avevo fatto bene, avevo fatto male? Soltanto quando, a maggio, la sua chioma si è coperta di fiori rosa, ho capito di non avere sbagliato.

Non sono mancati naturalmente anche gli errori, le sconfitte, i giorni di scoramento; i semi sparivano, portati via dalle formiche; le forme di formaggio esplodevano per la presenza di batteri; gli afidi attaccavano in massa i fiori del melo. Invece di arrendermi, sono stato costretto, ogni volta, a imparare una nuova via per andare avanti.

Ho scoperto, ad esempio, che, per salvare i semi dalle mandibole di chi li divora basta avvolgerli, prima della semina, in una pallina di argilla.

Ho capito, con il tempo, che i nemici non sono mai veri nemici, è il nostro pensiero a farli tali, trasformandoli in qualcosa di invincibile.

Su dieci piante, soltanto una viene attaccata in modo massiccio dagli afidi, le altre ne sono appena sfiorate, e quella pianta è sempre la più debole, quella che comunque, prima o poi, sarebbe stata destinata a soccombere. Se avessi spruzzato del veleno per salvarla, avrei reso deboli – e pronte a soccombere – anche tutte le altre.

Le malattie vengono dal disordine del terreno, dalla diversa qualità del seme, dalle condizioni del tempo.

Una volta, osservando il mio orto nel mese di luglio – quando è all'apice del suo splendore – ho pensato che coltivarne uno non è molto diverso dal dirigere un'orchestra. Ci sono un'infinità di strumenti – fiati, percussioni, archi – e, ad ognuno, bisogna richiedere il massimo, perché solo il massimo – il massimo aderire al ritmo – permetterà a tutti gli altri di fare altrettanto, creando l'incanto della sinfonia.

Per questa ragione, accanto alle verdure, semino sempre dei fiori. L'utile e il bello devono convivere, illuminandosi a vicenda, altrimenti le zucchine, le insalate, i pomodori, disposti in file con rigore militare, non sono molto diversi dai condannati a morte – aspettano solo di venir mangiati. La loro attesa della morte è lo specchio della nostra povertà interiore. Diverso, invece, è mettere loro accanto delle bocche di leone o delle calendule che risplendono come piccoli soli. La bellezza vive anche nelle cose più piccole, nelle più apparentemente inutili. Per la stessa ragione, lascio anche molte erbacce nell'orto. Sono io che invado il loro spazio, non loro il mio. Così, anche nei loro riguardi, ho imparato una forma di rispetto; permettendo loro di crescere, offro ombra e riparo a molti insetti utili che si nascondono tra le loro foglie. Se l'orto è un'orchestra, le erbe spontanee fanno sicuramente parte del coro.

Credo ti sarebbe piaciuto molto questo mio modo di vivere con le piante. L'idea dei fiori era venuta proprio a te. Poco prima del matrimonio, infatti, eravamo andati a trovare i miei nonni. Tornando dall'orto con le verdure per il pranzo, hai suggerito al nonno, che ti accompagnava: «Non sarebbe meglio metterci anche dei fiori?».

«Dei fiori? E perché?»

«I fiori servono per il cimitero» ha tagliato corto la nonna e tu hai capito che non era il caso di continuare il discorso.

Erano delle brave persone, anche se all'antica. Per loro due, stremati da una vita di lavoro nei campi, l'arrivo della chimica non era stato molto diverso da quello di una fata in grado di respingere, con la sua bacchetta magica, l'orco della fatica al di là dell'orizzonte. Ricordo ancora il nonno, quando già andavo al liceo, mostrarmi trionfante delle boccette dentro un armadietto. «Ho preso anche il tesserino,» mi diceva «le posso usare tutte. Sapevo che il progresso ci avrebbe portato a questo, ma non pensavo di riuscire a vederlo.» Su ogni boccetta c'era disegnato un teschio con delle tibie incrociate.«Non saranno pericolose?» avevo chiesto. Lui mi aveva guardato con un'espressione incredula. «E perché mai? Sono garantite.»

Da che cosa fossero garantite non l'ho mai capito.

Spesso, quando lavoro nell'orto, cerco di immaginare il volto di mio nonno. Come sarebbe stupito nello scoprire che il suo unico nipote – quel nipote cittadino, quel nipote che con il suo titolo di dottore era fonte di infinito orgoglio – aveva buttato tutto alle ortiche ed era tornato a vivere delle sue stesse fatiche.

Spesso mi tornano in mente i suoi gesti; quando lego un arbusto, le mie mani sono le sue, le stesse mani callose che rivedo quando trapianto le giovani piantine – mani screpolate, forti, ma capaci di trasformare, in un istante, la loro forza in delicatezza.

Non credo di avertelo mai raccontato, ma l'unica volta nella mia vita in cui ho partecipato a una processione religiosa è stata proprio un'estate dai nonni. Nel paese si celebrava la festa di sant'Isidoro agricoltore. Già dal giorno prima, la nonna mi aveva portato con sé a fare il triduo. Ai piedi dell'altare c'erano due enormi buoi di gesso che tiravano un aratro; dietro ai buoi, incombeva sant'Isidoro e sopra di lui, volavano sospesi due angeli.

Tornando a casa, la nonna mi aveva raccontato che quegli angeli erano i suoi aiutanti, erano loro infatti a lavorare al posto del santo quando lui era stanco; a fargli quell'insolito regalo era stato proprio Dio, per ringraziarlo della sua grande devozione.

Il giorno dopo mi avevano fatto indossare una cotta bianca e, con il turibolo in mano, avevo preceduto la statua del santo per tutte le strade del paese. Non ero abituato all'incenso, il vento soffiava contrario, mi andava negli occhi e nel naso, gli occhi lacrimavano e avevo paura di inciampare. Intorno a me si levava un coro di preghiere in latino di cui non capivo neppure una parola, ma ero molto orgoglioso di quel ruolo, e anche molto intimorito dall'idea di non essere all'altezza. Con mio grande stupore, riuscii a tornare in chiesa senza inciampare né cedere ai tanti capogiri che mi avevano tormentato per tutto il percorso.

Ricordo che quella sera, prima di addormentarmi nel mio letto, avevo provato una straordinaria sensazione di leggerezza. Stavo lì, ma era come se non ci fossi, ero nel letto, ma, allo stesso tempo, era come se mi librassi nell'aria. Forse gli angeli di sant'Isidoro avevano sollevato anche il mio materasso insieme all'aratro. Ero lassù e volavo con loro, ma, invece di avere paura, mi veniva da ridere, mi sentivo allegro e libero come fossi Aladino.

Quello stato di grazia proseguì anche il giorno dopo e, proprio a causa sua, ricevetti la prima e unica sberla da parte di mia nonna. Qualche giorno prima, infatti, avevo trovato nell'orto un bell'esemplare di mantide religiosa. L'avevo portata in casa e sistemata in cucina, in una delle gabbiette da grilli del nonno. L'insetto se ne stava nella sua usuale posizione, con le zampe giunte, e così, il giorno dopo la processione, ho pensato bene di farle una sorpresa; nascondendomi sotto il tavolo dov'era posata la gabbietta, con una vocina sottile – quella che avrebbe dovuto avere la mantide – ho iniziato a ripetere alcuni spezzoni di preghiere in latino che affioravano nella mia memoria. Non avevo neppure finito di dire *requiescant in pacem* che la mano della nonna si è abbattuta con forza sulla mia testa. I suoi occhi lampeggiavano come fuoco.

«Zitto!» ha tuonato. «Vergogna! Non si scherza con queste cose!»

Il nonno venne messo a conoscenza del mio misfatto durante la cena, io avevo la schiena sudata, le guance rosse e provavo un'intensa vergogna. «La prossima volta prendi un grillo» mi consigliò, prima di cominciare a mangiare.

undici

Tanto il tuo mondo era popolato di eventi misteriosi altrettanto il mio, al tempo del nostro incontro, era ristretto soltanto su ciò che era visibile. Non ero infastidito dai tuoi racconti, anzi, portavano una specie di polverina magica che rallegrava la mia vita. Devo ammettere che, in questa mia visione, c'era quello che una volta avevi definito «paternalismo maschilista». In fondo ero convinto che quel tipo di fantasia fosse qualcosa di molto femminile – dove femminile voleva dire un'attitudine propria di chi non deve impegnarsi seriamente nella concretezza della vita.

Non ti ho mai contrastata né mai ti ho chiesto di fornirmi spiegazioni di quello che sostenevi, cosa che, evidentemente, non eri in grado di fare. Abituato com'ero a osservare ogni cosa con la lente del microscopio, a prendere misure, a valutare relazioni, a toccare, annusare, osservare, non mi era possibile trovare la porta d'ingresso di quel mondo in cui tu eri abituata a vivere.

Su questi argomenti, l'unico ponte lanciato tra di

noi era la poesia, l'amavamo entrambi; tu avevi più tempo di me, così spesso la sera, quando tornavo a casa, nel relax che seguiva la cena, mi leggevi sul divano i versi che più ti avevano colpito. Eri una lettrice onnivora, leggevi i classici ma ti piaceva anche andare in giro per le bancarelle a cercare testi di assoluti sconosciuti. «Si possono trovare delle perle,» ripetevi «perle abbandonate tra la polvere degli scaffali.» Effettivamente, quando tornavi da questi tuoi giri, sembravi un pescatore di perle, o un cercatore d'oro; aprivi la borsa e, una ad una, con delicatezza estraevi le tue preziose conquiste. Guardandole, a volte, non capivo le tue scelte, le trovavo bizzarre. Allora eri tu a scoppiare a ridere: «Hai ragione, questo libro è davvero assurdo», ma lo leggevi lo stesso.

Certe sere, però, mentre l'orologio della cucina batteva il suo tempo, le parole che avevi appena letto restavano sospese tra noi nel silenzio della stanza; non erano più semplici parole, ma pietre preziose, rubini, smeraldi, diamanti, acquemarine – danzavano intorno a noi, illuminando i nostri volti. In quegli istanti, la poesia diventava il ponte gettato tra noi due. Lassù, su quel ponte, riuscivamo ad incontrarci. Sotto di noi, intorno a noi, scorreva il fiume del mistero. Ed era proprio quel mistero a darci la certezza che il nostro amore sarebbe stato più forte della morte.

«Le poesie aprono piccole finestre nei giorni,» ripetevi «sotto il grigiore quotidiano, ci fanno intravedere i bagliori di una realtà diversa. Servono a non arrendersi.»

Arrendersi per te voleva dire restringersi, indietreggiare, incalzati dalla banalità del tempo, fino a trovarsi prigionieri nella gabbia dei gesti spenti, delle parole già dette, delle cose già fatte.

Soltanto qualche anno dopo ho capito che, nella tua mente, accanto alla realtà che era sotto gli occhi di tutti, ne esisteva un'altra, che tu chiamavi «realtà di Luce». Avevi annuito, quando, un giorno, te ne ho chiesto conferma.

«Ma non c'è la luce anche quaggiù?» ti ho domandato, perplesso.

Stavi giocherellando con una piuma, la lasciavi cadere, soffiavi, volava di nuovo.

«Certo, ma lassù la luce c'è sempre» mi hai risposto, sorridendo.

Quanti anni ho impiegato per capire questa tua osservazione. Quante cadute, quanti crepacci, quante voragini hanno accolto i miei passi, prima che riuscissi ad intravedere una anche minima luminosità.

Nel mondo dove la luce risplende sempre, la notte è assente, ma la strada che conduce a quel mondo ha la densità buia e vischiosa di un fiotto di petrolio.

Il petrolio viene dalle viscere della terra.

L'oscurità del nostro cuore, da dove viene?

Sale anche lei da quel ventre incandescente?

E quella della nostra mente?

Perché allora, alla nascita, non ci viene messa in mano una lanterna?

A parte quella prima esperienza dai nonni, la mia educazione religiosa è stata di una estrema banalità. Mio padre, come sai, si considerava un libero pensatore, ma non era anticlericale, trovava giusto che ai bambini venisse fatto fare un percorso e che, alla fine di questo percorso, venissero lasciati liberi di decidere. «Non hai paura che gli facciano il lavaggio del cervello?» lo aveva messo in guardia un suo amico. Mio padre era scoppiato a ridere: «Ci vuole ben altro per fare il lavaggio del cervello».

Aveva ragione. I pomeriggi invernali trascorsi a scaldare le gelide panche della sala parrocchiale non sono stati certo capaci di plagiare la mia giovane mente. La naturale educazione religiosa che avevo imparato dai nonni avrebbe dovuto trovare conferma e compimento in quella fredda stanza, invece è stato proprio il contrario; in quegli interminabili pomeriggi quello che avevo imparato dai nonni iniziò a dissolversi. Diversi sono stati i fattori che hanno concorso a questo, il più importante dei quali senz'altro è stato l'accorgermi della grande frattura che c'era tra il mondo della realtà e quello delle parole.

Nel mio pensatoio, durante le estati dai nonni, mi interrogavo su una grande quantità di cose, ma era sempre la realtà ad offrirmi le domande; e quando, a mezzogiorno, la nonna ripeteva l'*angelus* o il nonno, prima di mangiare, benediva sommariamente il cibo, mi sembrava tutto assolutamente naturale, così come mi veniva spontaneo accompagnarli in chiesa nel mese di giugno per le funzioni propiziatorie del raccolto. Il loro mondo era semplice, legato al ritmo delle stagioni e ai capricci del tempo – ringraziare e benedire sembravano dunque fatti spontanei. C'era la nostra vita e la vita di chi stava sopra e accanto: Maria, Gesù, sant'Isidoro, sant'Antonio del Porcello e l'altro sant'Antonio – quello capace di far ritrovare le cose.

Nella penombra della casa erano sparse varie immagini logorate dal fumo del caminetto e dal tempo; tra queste la mia preferita era un souvenir portato anni addietro da un pellegrinaggio a Loreto. Mostrava degli angeli che volavano portando con sé una casa leggera come un fazzoletto. Era stata la nonna, quando avevo sei anni, a spiegarmi che si trattava della casa di Maria, la madre di Gesù, e che gli angeli la stavano portando in Italia per metterla in salvo.

«Gli angeli possono trasportare le case?» avevo chiesto allora perplesso.

«Certo.»

«Anche le case di cinque piani?»

«Anche quelle di dieci.»

«Davvero? Allora gli angeli possono fare tutto!»

Ne avevo avuto conferma la notte di sant'Isidoro,

quando – a un tratto – mi ero sentito sollevare in aria con tutto il materasso. La scoperta, poi, che ognuno di noi avesse anche a disposizione un angelo personale aggiunse gioia allo stupore. Se mi fossi trovato in difficoltà sarebbe bastato fare un fischio e lui, come il fedele Rintintin, sarebbe venuto in mio aiuto.

La sera, a letto, la nonna tracciava una croce sulla mia fronte e, subito dopo, mi addormentavo felice. Su questo mondo di naturalezza – un mondo in cui le cose erano legate insieme, ed era questo legame a dare un senso alla vita – si inserì un giorno quella che, ai miei tempi, si chiamava dottrina.

Non era già straordinariamente inquietante il nome? Da dottrina infatti viene indottrinamento, e indottrinata è una persona che ha smesso – o non ha mai incominciato – ad usare la propria testa. Io ero arrivato lì, in quella stanza gelida, un pomeriggio di ottobre, pieno di domande – tutte quelle che mi erano venute in mente durante le mie scorribande – e nel mio cuore nutrivo la speranza che, in quelle ore, almeno alcune di quelle domande avrebbero ricevuto una risposta, ma i tempi erano diversi e parlare durante le lezioni era vietato, figurarsi parlare di ciò che avevamo in mente.

Il nostro insegnante era un prete così alto e così magro che, quando camminava, sembrava che la tonaca ballasse attorno ad un palo. All'epoca a me sembrava vecchio, ma forse non aveva più di una quarantina d'anni: quando parlava, spesso era colto da un tic che gli storceva le labbra.

Si chiamava don Mangialupi e questo nome faceva fantasticare non poco noi ragazzi. Con voce monocorde ci raccontava le storie della Bibbia, ci parlava della leggerezza di Eva che ci aveva sprofondati tutti nel peccato, della torre di Babele, del diluvio universale, della storia di Mosè e di quella di Isacco.

Tra tutte le storie, la mia preferita era quella di Noè – c'erano pochi uomini e molti animali – e questo mi sembrava già un preludio per essere felici. Negli altri episodi, infatti, gli uomini combinavano solo guai, seminando dolore e morte.

Quando venni a conoscenza, poi, della storia di Abramo e Isacco, ebbi una vera e propria ribellione che si spinse fino a rifiutare di disegnare la scena sul quaderno, come mi era stato chiesto da don Mangialupi. «No, non lo farò!» dissi a voce alta. «No?!» ripeté incredulo il prete. «No» insistetti. «Perché un Dio così buono che fa gli angeli non può essere così cattivo da chiedere a un padre di uccidere il figlio.»

Si rifiuta con caparbietà di illustrare il sacrificio del monte Moria, scrisse allora il sacerdote sul foglio rimasto bianco. Avrei dovuto riportarlo la volta dopo, firmato dai miei genitori. «Perché non l'hai fatto?» mi chiese mia madre. «Perché no.» «Sei testardo come tuo padre» sospirò, firmando la nota.

Continuando a studiare la dottrina, il mio disagio aumentava. Spesso, nel libro illustrato, Dio era rappresentato come un triangolo con un occhio in mezzo. Quel triangolo, ci ripeteva don Mangialupi, ti seguiva ovunque, sapeva sempre quello che stavi facendo, anche se ti nascondevi, lui riusciva a vederlo. «È brutto fare le cose di nascosto, eppure si fanno lo stesso. Sono sicuro che voi tutti le fate» insinuava con insistenza il sacerdote.

Quell'immagine di Dio come un evento geometrico mi provocava repulsione. Quel triangolo che stava sempre sopra di me mi irritava, mi feriva, non riuscivo in alcun modo a vedere, nei suoi spigoli acuti, una qualsivoglia forma d'amore.

Le cose andarono un po' meglio quando, all'orizzonte, comparve Gesù. Il fatto che fosse nato nel mio luogo preferito – la stalla – me lo rese subito simpatico e poi mi piaceva quel suo andare a piedi in giro per i campi – come facevo io quando stavo dai nonni – quel suo fermarsi a parlare con le persone che incontrava, il suo sapere ascoltare e anche la sua capacità di arrabbiarsi; invidiavo la potenza dell'ira che aveva espresso coi mercanti nel tempio. Spesso, nel corso delle mie giornate, mi capitava di provare sentimenti analoghi, ma, vuoi per il mio carattere, vuoi per l'educazione ricevuta, quelle esplosioni non avvenivano mai; non appena la miccia, crepitando, prendeva fuoco, una pioggia improvvisa cadeva dall'alto spegnendo l'innesco e rendendo inerti le polveri.

Che relazione però ci fosse tra Gesù e l'onnipresente triangolo, la dottrina non era riuscita a chiarirlo.

A un mese dalla prima comunione – grazie a quella che don Mangialupi aveva definito «la mia indisponenza» – fu sfiorata la catastrofe. Alla fine di una lezione riassuntiva, incentrata sulla onnipotenza di quell'occhiuto triangolo, avevo alzato la mano.

«Dì pure, Matteo» aveva detto il prete, benevolmente democratico.

«Non è vero che è onnipotente!» avevo detto tutto d'un fiato. «Se fosse davvero onnipotente, nel giardino dell'Eden non avrebbe chiesto ad Adamo: "Dove sei?" Se io so già dov'è una persona, mica glielo chiedo...»

Nell'aula era sceso un livido silenzio. «Chi ti mette in testa queste cose?»

«Nessuno! Mi vengono in mente da sole.»

Vennero allora convocati i miei genitori e fu loro detto che ero ancora troppo immaturo per avvicinarmi ai sacramenti. Mia madre dovette supplicare non poco per far cadere questo veto, che, comunque, mi venne rinfacciato per anni. «Se non fosse stato per me,» ripeteva «non avresti mai fatto la prima comunione.»

Comunque il giorno fatidico arrivò.

Una domenica di maggio piena di luce e di profumi, indossai una giacca blu, i pantaloni corti grigi, una camicia, un cravattino con l'elastico e, così vestito, mi avviai a piedi con i miei genitori verso la chiesa.

«Se Gesù mi ama davvero,» avevo chiesto poco prima a mia madre, mentre mi aggiustava i capelli con un pettine bagnato «non mi può amare come sono, con i vestiti di sempre?»

«Per piacere» mi aveva sibilato in risposta. «Chiudi una buona volta quella bocca e non aprirla fino a che non siamo seduti al ristorante.»

A dire il vero, il ristorante, i regali, l'acquisto del vestito, tutta l'agitazione dei giorni precedenti, mi avevano non poco inquietato: se quel giorno doveva accadere qualcosa di speciale – qualcosa di straordinariamente interiore – perché mai tutti non facevano altro che occuparsi di cose esteriori? Io non ero interessato a cosa avremmo mangiato, ai regali che avrei ricevuto, alle foto in posa. L'unica cosa che mi stava davvero a cuore era sapere se – come diceva la dottrina – da quel giorno in poi la mia vita sarebbe stata qualcosa di completamente diverso. Mi ero esercitato per settimane, in un angolo del balcone, ad ingoiare – senza nessun contatto col palato – delle molliche di pane che avevo precedentemente schiacciato e mi sembrava di essere pronto per il Grande Incontro.

Cosa sarebbe successo una volta mangiata l'ostia? Davvero, da quel momento in poi, saremmo stati in due? E come era possibile vivere con due teste, con due cuori? Se la mia voleva andare da una parte e la sua da un'altra? Saremmo stati come quei gemelli siamesi che avevo visto una volta in una foto e che mi avevano terrorizzato? Oppure quell'evento sarebbe stato come quando la mamma, nei mattini d'estate, spalancava le persiane nella stanza? La luce, d'improvviso, avrebbe fatto irruzione dentro di me?

Sentivo il mio cuore battere all'impazzata mentre aspettavo il mio turno, inginocchiato alla balaustra di marmo. Quando poi ho aperto la bocca e l'ostia si è subito incollata al palato – rivelandosi non un pane fragrante, ma una cialda molliccia – il primo sentimento è stato di delusione. Forse però, continuavo a dirmi fiducioso, per fare effetto ci metterà un poco, forse mi accorgerò che tutto è cambiato appena sarò fuori, questa notte, o domani mattina. Eppure neanche durante il pranzo successe nulla, strizzavo gli occhi, trattenevo il respiro, ma le cose rimanevano quelle che erano – i tortellini nel piatto, l'orologio, la penna stilografica e il messale con la copertina color madreperla che avevo ricevuto in regalo stavano davanti a me nella loro piatta e inespressiva normalità.

Soltanto sulla via di casa, dando una mano a ognuno dei miei genitori come quando ero piccolo, per un istante ho avuto l'impressione che, accanto alla luce che vedevo, ne fosse scesa un'altra più intensa, più brillante, più calda. In quella luce, il volto di mio padre era il più bello del mondo, le labbra di mia madre distese e i suoi occhi ridevano come quando era ragazza. Dentro di me sentivo di avere una potenza straordinaria, ero un gigante. E quel gigante non aveva paura di niente.

Ripensandoci adesso, mi rendo conto che forse, in quel brevissimo istante, ero entrato inconsapevolmente in contatto con quel mondo a te così familiare. Per una frazione di secondo avevo visto la stessa luce che vedevi tu, ma mentre tu avevi continuato a camminare verso di lei, io mi ero ritirato, scegliendo il grigiore dei giorni.

Per tutta la durata delle elementari ho continuato a frequentare la chiesa insieme a mia madre; ogni domenica andavamo alla messa alle undici e, all'uscita, veniva a prenderci mio padre con un vassoio di paste.

All'inizio, avevo obbedito a quel rito con totale fiducia ma, con il tempo, quella stessa fiducia aveva iniziato a sfilacciarsi, a stemperarsi in un sentimento di segno opposto. Sentivo, infatti, parlare sempre di amore e di bontà, ma quell'amore e quella bontà non riuscivo a vederli nelle persone che mi circondavano. Sentivo parlare di gioia ma, intorno a me, vedevo soltanto volti malinconici e tristi.

Con il tempo capii che, per molti di loro – mia madre in testa –, andare in chiesa la domenica era una pura convenzione e che le belle parole che ascoltavano lì non influivano minimamente sulla loro vita. «Non di solo pane vive l'uomo» aveva detto Gesù, ma loro sembravano proprio vivere solo di pane. Di pane e di paste, di bei vestiti e di chiacchiere, di piccole invidie, di ripicche.

Nel mio cuore c'era altro, il mio cuore cercava altro.

Così, al tempo delle medie, cominciai a ribellarmi.

Per prima cosa fuggii dal confessionale, quella sinistra casetta che, fin dall'inizio, mi aveva costretto all'ipocrisia, spingendomi a inventare dei peccati che non avevo commesso, pur di confessare qualcosa, poi iniziai a rallentare la frequenza della messa – un giorno avevo troppi compiti, la domenica dopo una corsa campestre, quella dopo ancora un forte mal di testa. Dopo un po' mia madre cominciò a tenermi il muso, una delle sue specialità. «Non vuoi più bene a Gesù» bisbigliò una domenica con aria da vittima, tagliando il solito pollo.

«È proprio perché gli voglio bene che non vengo più.»

«Non bestemmiare.»

Mio padre alzò gli occhi dal piatto, per difendermi. «Non sta bestemmiando. Sta esponendo il suo punto di vista.»

Così, mentre le labbra di mia madre si tendevano sempre di più, su invito di mio padre, parlai in lungo e in largo del mio disagio, del fatto che, sebbene si parlasse sempre di amore e di gioia, io quella gioia e quell'amore non li vedevo da nessuna parte, non c'erano neppure nei loro volti, nei loro gesti; non volevo ridurmi a sentirmi buono soltanto perché avevo allungato una moneta a un povero o perché avevo raccolto la carta stagnola per i bambini che muoiono di fame in Africa.

«Che senso ha fare una buona azione?» continuavo. «E allora tutte le altre azioni che faccio, cosa sono? O sono buono sempre – e vivo il bene – o non lo sono mai. O tutto è amore, oppure niente è amore. Non può esistere l'amore a comando, l'amore a pezzetti. Non può essere un vestito che indosso quando mi fa comodo.»

Mentre parlavo sentivo le guance infiammarsi, era la prima volta che dicevo cose da persona grande. Mio padre mi ascoltava compiaciuto, mentre mia madre si era chiusa in un silenzio spettrale; appena finito di mangiare cominciò a sparecchiare con gesti rumorosamente teatrali.

L'anno dopo, decisi che avrei studiato medicina, come mio nonno. Dato che non potevo capire Dio, potevo almeno cercare di capire l'uomo; e se il dolore del mondo continuava a restare per me incomprensibile, potevo almeno tentare di lenirlo.

dodici

Quel giorno era caduta la neve sulle cime più alte.

Davide non l'aveva mai vista, così gliela avevo indicata: «Guarda lassù, sulle montagne, tutto quel bianco. È la neve». «Sembrano torte cosparse di zucchero» avevi aggiunto tu.

Stavamo percorrendo la strada che ci portava all'Aquila. Davide osservava le montagne muovendo il capo da una parte e dall'altra, in silenzio; come la maggior parte dei primogeniti – e la maggior parte dei maschi – sapeva dire ancora pochissime parole, malgrado avesse già tre anni. «Sei tu che chiacchieri troppo» ti provocavo spesso. «Se non stai mai zitta, come farà a trovare lo spazio per dire una parola?» «Preferiresti che diventasse una mummia come te?»

Quelle punzecchiature facevano parte del nostro lessico familiare, non c'era alcuna malizia, alcun senso di acredine, nel dirle; nel tuo mondo di immagini metaforiche, mi avevi paragonato a una mummia – per la mia lentezza nel parlare, per il mio costante bisogno di analizzare, schematizzare, valutare tutti i pro e i contro di ogni anche più piccola decisione da prendere.

«Colpa delle stagioni,» dicevo, per farti ridere «tu sei stata accolta dall'abbraccio del sole, io dai venti gelidi dell'inverno.» «È vero» rispondevi a volte, esasperata della mia lentezza. «Hai il ghiaccio dentro, e temo che neppure io riuscirò a scaldarti.» Intuivo, in queste tue parole, una dolorosa tristezza che mi spingeva persino a diventare loquace, pur di riuscire a cancellarla. Non c'era niente che mi facesse più male di quell'ombra che, improvvisa, scendeva sul tuo sguardo.

Arrivammo in quel paesino vicino all'Aquila in tarda mattinata. Il tuo amico Ettore aveva finito da poco di restaurare la casa dei nonni. Ci presentò la moglie, che non conoscevi, e quando scopristi che era incinta, tra voi si creò un legame immediato.

Davide iniziò subito a trotterellare in giardino, inseguendo gatti di diverso colore che dormivano placidi al sole e, mentre tu raggiungevi la moglie in cucina per farti spiegare il segreto per fare gli spaghetti alla chitarra, io andai con Ettore a prendere la legna per il caminetto.

A pranzo, la conversazione tra noi fu leggera e vivace, tutta incentrata sulla grande – e comune – avventura dei figli; volevano sapere tutto di Davide, se aveva scambiato la notte con il giorno, se era stato allattato, e per quanto, come era andata con lo svezzamento; alla classica domanda, poi, su quale parola avesse pronunciato per prima, se «mamma» o «papà», siamo scoppiati a ridere.

«Davide dice solo tre parole» hai rivelato tu. «Bollitore, matita e scale.»

Lo stupore della tua amica è stato totale: «Succede spesso?».

«Certo!» l'hai rassicurata. «È la nostra smania di protagonismo a farci credere che i nostri nomi siano i più importanti. Se la mamma è lì, perché chiamarla? Meglio imparare il nome di quella cosa che brontola sul fuoco... il bollitore, appunto.»

«Non sembrate genitori ansiosi» ha concluso la nostra ospite.

«Perché dovremmo esserlo?»

Al momento del dolce, hai annunciato che, presto, anche Davide avrebbe avuto una sorellina o un fratellino. Per festeggiare, Ettore è andato a prendere una bottiglia di spumante e abbiamo brindato ai nostri bambini.

Dopo pranzo siamo andati a fare una breve passeggiata sui prati intorno a casa. Davide stava sulle mie spalle.

«Gatto!» ha detto, rientrando in giardino e indicando uno dei piccoli felini sdraiato su un'aiuola.

«E quattro!» hai applaudito tu, felice.

Arrivò l'ora della consegna. Ettore portò fuori dalla rimessa la macchina e ti invitò a fare un giro con lui.

«Convinta?» ti chiesi, al ritorno.

«Convintissima.»

Ti stava venendo un po' di mal di testa e volevi rientrare a Roma prima del buio, così, poco dopo, ci congedammo.

Davide volle venire con te; mentre lo stavi sistemando sul sedile posteriore, avvolto nella sua goffa giacca a vento, si girò verso di me e, indicandomi, disse: «Papà».

«E cinque!» commentai felice.

Tu eri già seduta al posto di guida. «A dire il vero, sono un po' invidiosa...» mi sussurrasti.

«Sarà un'invidia di breve durata,» ti rassicurai «il "sei" sarà di sicuro "mamma".»

Ti baciai e ci muovemmo. Voi davanti e io dietro, per non correre il rischio di perderci e per essere anche pronto a soccorrerti se, per caso, la tua Carolina si fosse fermata.

Nei giorni, nei mesi, negli anni che sono seguiti, quella giornata non è stata per me altro che un corpo da dissezionare: avevo il bisturi in mano e tagliavo, sistemando in tante celle frigorifere tutto ciò che mi sembrava degno di nota con meticolosa ossessione.

Di che colore erano le piastrelle della cucina? E i bicchieri, erano trasparenti o colorati? Non aveva, forse, il tuo, una piccola sbeccatura sul bordo, o era il mio ad averla?

E quanti gatti dormivano in giardino? Di sicuro uno rosso – quello che aveva rincorso Davide – ma anche uno tigrato e un altro bianco e nero; forse ce n'era anche uno totalmente nero, che mi era sfuggito – magari era stato lui ad attraversarti la strada mentre provavi la macchina con Ettore e non me lo avevi detto.

Avevi poi scritto la ricetta per gli spaghetti alla chitarra o l'avevi solo tenuta a mente?

E, quando eravamo andati a passeggiare, non avevamo forse visto posarsi un uccello nero tra i rami di quel grande noce spoglio?

Che cos'era: un corvo, una cornacchia, un merlo?

E quella mattina, dal bagno, prima di partire, non mi avevi accennato a una congiunzione astrale? Non vi avevo fatto caso, perché non ero interessato a questi argomenti. Cosa avevi detto? Era «quadratura» la parola giusta, o «opposizione»? E che cosa voleva dire?

Che scarpe avevi quel giorno? Erano scarpe sicure per la guida, o erano quella specie di ciabatte che eri solita indossare? Perché non avevo controllato? Mi prendevi sempre in giro. «Sei un fanatico,» mi dicevi «cosa vuoi che cambi una scarpa oppure un'altra.»

Per essere certo che nulla mi fosse sfuggito, ripetevo in continuazione tutto ciò che avevamo detto a tavola, durante il pranzo: facevo la mia voce e la tua e poi le lasciavo sospese in aria, sperando che il silenzio mi rivelasse qualcosa che mi ero perso.

Ad un certo punto, nel caminetto, era scoppiato un ciocco e Davide si era girato, impaurito, pronto al pianto, ma tu, con un sorriso rassicurante, l'avevi tranquillizzato.

Perché proprio quel giorno Davide aveva detto due parole nuove?

E perché una delle due era stata «papà»?

Avrebbe potuto dire «auto» e sarebbe stato lo stesso, o, forse, con il suo sorriso pieno di dentini, mi stava chiedendo qualcosa?

Per anni ho abitato in questa sala di anatomia. Stavo lì, cercando di capire, ma più stavo lì, più le cose diventavano confuse; la scienza era solo una scusa, in realtà rimanere artigliato a quel giorno era l'unica via che mi restava per sopravvivere.

Quello era stato il nostro ultimo giorno e io l'avevo vissuto come uno qualunque – per questo non potevo permettermi di scordarne neppure il più piccolo dettaglio.

Tutto è stato rapidissimo.

Sul grande viadotto, improvvisamente, la tua macchina ha sbandato a sinistra, sfondato il guard rail ed è sparita inghiottita dal vuoto.

Se non fossi stato la mummia avrei fatto l'unica cosa che dovevo fare. Girare il volante e seguirvi giù dal viadotto.

Invece ero la mummia.

Così ho messo la freccia, ho accostato, sono sceso dall'auto, mi sono affacciato al parapetto e, soltanto quando ho visto un rogo in fondo alla scarpata, ho gridato: «No!».

tredici

Non ricordo il volto del primo automobilista che si è fermato, mentre ricordo l'arrivo della polizia stradale e il volto di un poliziotto con baffetti rossicci che mi fissava: «Sua moglie soffriva di depressione? Avete litigato di recente, avuto dei dissapori?». Ricordo di aver cercato dentro di me le parole, ma, per quanto mi sforzassi, era come se vagassi in un archivio – c'erano tanti corridoi, tanti scaffali e non riuscivo mai a trovare quello che cercavo; come se fossi nella penombra di una grande cattedrale vuota – sentivo il rumore dei miei passi ma, accanto ai miei, non c'erano più i tuoi – tutto rimbombava intorno a me. Deve essere stato quel rimbombo a far vibrare ogni cosa; la vibrazione si è trasformata in un tremito che non sono più riuscito a controllare – non ero più io, ma un castello di carte e, come un castello, all'improvviso mi sono afflosciato al suolo. Quando mi sono risvegliato ero in un posto che non conoscevo e c'era mio padre vicino a me. «Speravo proprio che almeno tu ti fossi salvato» mi ha detto abbracciandomi.

C'era nebbia nella mia testa. Nebbia, stanchezza e senso di irrealtà.

Perché ero lì?

Che cosa era successo?

Sentivo intorno a me qualcosa di minaccioso ma non riuscivo a capire cosa. Soltanto quando mio padre ha preso la mia mano tra le sue, quando mi ha detto, tra le lacrime: «Devi farti forza, dobbiamo farci forza», all'improvviso, nella mia mente è riapparsa quella sfera di fuoco che ardeva in fondo alla scarpata.

Uscito dall'ospedale, ho dovuto occuparmi delle cose pratiche. Dico «ho dovuto» ma non sono sicuro di essere stato proprio io a farlo. Qualcuno andava dalla polizia, rispondeva monocorde alle loro domande, qualcun altro andava alle pompe funebri, sceglieva, pagava e un'altra persona ancora, con tono pacato e ragionevole, rispondeva «grazie» a tutte le persone che le stringevano la mano, che la abbracciavano, mormorando: «Condoglianze... Che cosa terribile... Ti sono vicino...».

Secondo i rilievi della stradale, non c'era stata alcuna traccia di frenata e questo, chiaramente, faceva propendere per un gesto volontario. «Non sa quanti» mi disse il capo della pattuglia, allargando le braccia desolato «scelgono quel viadotto...»

Venne interrogato anche Ettore e lui mostrò, carte alla mano, di aver fatto revisionare la macchina da cima a fondo prima di venderla.

Cercavo debolmente di ripetere a tutti: «No, Nora non era depressa. No, non avevamo litigato». Alcuni annuivano: «Certo, certo» desiderosi soltanto di tagliare la corda, altri invece insistevano: «Sono i più insospettabili a farlo; anzi quelli che lo dicono non lo fanno mai, sono proprio quelli che stanno zitti a suicidarsi».

Nonostante tutti si ostinassero a sottolineare quella che consideravano un'evidenza, io continuavo a rifiutarla – tu eri innamorata della vita, per quale ragione avresti dovuto togliertela, negandola anche a tuo figlio e alla bambina che portavi in grembo?

«A volte il suicidio è il suggello di un momento di massima bellezza, di massima verità» mi aveva detto un giorno un amico appassionato di cose orientali.

Era così?

Quella giornata tra i monti dell'Abruzzo era stata per te così sublime da decidere di immortalarla con la tua fine e con la fine della tua discendenza?

E io, allora, che cos'ero, una comparsa sullo sfondo?

Non eravamo forse stati – per quattordici lunghi anni – ognuno il senso dell'altro?

E il nostro senso non si era riverberato in Davide, nella bambina che attendevi e negli altri figli che il tempo e il nostro amore ci avrebbero concesso?

Quello stato di strana irrealtà scomparve non appena aprii la porta di casa nostra, dopo qualche giorno trascorso a casa dei miei. Nessuno era entrato là dentro da allora. Eravamo usciti di fretta, quel giorno, lasciando, dietro di noi, la solita scia di disordine. Anche in questo eravamo così diversi! La sera io ripiegavo ordinatamente i miei abiti su una sedia mentre tu li accumulavi sulla tua fino a creare dei veri e propri covoni; quando ti facevo notare che eri troppo disordinata, mi sorridevi ironica: «Se fossi davvero disordinata, non troverei le cose, ma dato che le trovo sempre, vuol dire che non lo sono. Non tutti gli ordini devono sottostare al rigore militare, alcuni sono ordini di fantasia».

Il tuo ordine di fantasia mi venne subito incontro. Per prime, le tue pantofole, una vicina alla porta e una più indietro, come se te le fossi tolte una dopo l'altra uscendo; sul divano, il libro che stavi leggendo la sera prima e, sotto, sul pavimento, altri sei o sette volumi – per te i libri erano come cioccolatini, ne assaggiavi uno e poi un altro e un altro ancora, fino a che non trovavi quello che ti soddisfaceva; sul divano, accanto al libro, c'era il pigiama di Davide e un guantino che, nella fretta, avevamo dimenticato; in cucina, resti della colazione ingombravano ancora il tavolo: le briciole sulla tovaglia, il vaso della marmellata con il coperchio chiuso male, la scatola in latta delle fette biscottate – le tazze e i bicchieri invece erano già nel lavello, li avresti lavati al ritorno.

Stavo sulla porta con le chiavi in mano, senza trovare il coraggio di entrare. Era un paesaggio lunare quello che mi si apriva davanti e io ero l'astronauta giunto lì per documentare; era Pompei dopo l'eruzione, o Hiroshima dopo la bomba – non c'era la cenere e nemmeno il fungo atomico, eppure un intero mondo era stato spazzato via e aveva lasciato dietro di sé soltanto alcune tracce – i calchi, i gusci vuoti di una vita che, un tempo, lì dentro era stata vissuta.

Ho detto «Nora» come facevo ad ogni mio rientro e il tuo nome si è dissolto nel silenzio delle stanze. Stavo sulla porta e annusavo l'odore della nostra vita – il profumo della tua cucina, l'odore del mio corpo, del tuo, quello polveroso della carta che accumulavi ovunque, l'odore ancora tenero del corpo di Davide – odore di bagnetti, di pipì, di borotalco. Al contatto con l'aria, quella miscela di odori e di profumi si sarebbe rapidamente dissolta e, da quel momento in poi, ricomporla sarebbe stato impossibile. Ero rimasto solo, senza una tana, senza un luogo in cui tornare.

L'eco dei passi di qualcuno che stava arrivando dalle scale mi spinse infine ad entrare; ero stanco, sfinito dal continuo ripetere frasi di circostanza. Avrei voluto urlare, ma, purtroppo, non era nella mia natura.

Sul pavimento della sua stanza, Davide aveva lasciato una costruzione di dadi; farle e disfarle, negli ultimi mesi, era stata la sua passione: con calma concentrata erigeva la torre, poi, dopo aver richiamato la nostra attenzione, l'abbatteva con la sua manina. L'ho guardata per un po', sospeso, poi con un colpo secco l'ho fatta crollare. Volevo sentire ancora una volta quel rumore, volevo immaginare il suo sorriso – e seppellire per sempre quel rumore e quel sorriso nella parte più profonda del mio cuore.

Sono andato infine nella nostra stanza. Il letto era disfatto, sul cuscino di piuma c'era ancora l'incavo della tua testa; mi sono sdraiato al tuo posto e proprio lì, in quell'incavo, con delicatezza, ho posato la mia. «Dimmi qualcosa,» continuavo a ripeterti «dimmi perché.» Poi mi sono addormentato.

Al risveglio, la casa era avvolta nell'oscurità. Dal bagno giungeva il borbottio dello scaldabagno che nessuno aveva spento. Mi sono alzato e mi sono guardato intorno. Ero entrato in camera per cercare qualcosa di vostro da mettere nelle bare. Giravo tra le tue cose, indeciso, non avevi feticci, oggetti a cui eri particolarmente devota; avrei potuto mettere un libro, ma quale? E poi, un libro ti sarebbe servito per l'eternità? Soltanto in cucina, vedendo il tuo quaderno di ricette incrostato di farina, mi è venuta un'idea. Amavi molto fare le torte e i pasticcini, «cose non serie» dicevi, mentre i brasati, ad esempio, ti facevano orrore. «Quando mi amerai davvero,» avevi detto una volta, scherzando «invece di mangiarle soltanto, imparerai anche a farle.»

Così, in un pomeriggio di novembre, mentre fuori era buio e pioveva, ho impastato la prima – e ultima – torta della mia vita – la tua preferita, la torta paradiso. Con goffa malagrazia ho ripetuto i tuoi gesti – non sapevo che il tuorlo andasse separato dalla chiara, né che, alla farina, si dovesse mescolare la fecola – solo dopo molti tentativi sono riuscito a creare l'impasto poi, mentre il dolce lievitava e si indorava in forno, sono rimasto lì a guardarlo, fumando una sigaretta dietro l'altra.

Prima di uscire con la tortiera sotto il braccio, sono andato nella camera di Davide, dal groviglio delle lenzuola spuntava la coda azzurra del suo delfino di peluche, l'ho preso in braccio e gli ho accarezzato il muso sorridente. Quante volte avevamo giocato insieme, fingendo che il letto fosse il mare – io facevo la voce del delfino e, mentre lui mi guardava con gli occhi spalancati, gli raccontavo storie di sirene, di stelle marine, di ippocampi, di tartarughe sagge e parlanti come se fosse quel suo peluche a farlo; e quando poi il delfino, inchinandosi, diceva: «E anche per oggi la storia è finita», Davide scuoteva la testa sorridendo felice, come a dire «no, no, vai avanti». Allora mi chinavo su di lui, gli baciavo una guancia e l'altra gliela baciava il muso a punta del suo amico delfino.

quattordici

Sui giornali nazionali non erano usciti che dei trafiletti, mentre il quotidiano di Ancona ci aveva dedicato pagine intere; un suo cronista, dopo aver partecipato al funerale, aveva scritto: «Il marito impietrito dal dolore...». Nei giorni seguenti, mentre camminavo senza meta per le strade, quelle parole mi tornavano in mente. Solo chi non ha mai provato un vero dolore, può paragonare quello che stavo provando ad una pietra – è pur sempre una cosa viva, la pietra, si può scheggiare, rompere, può trattenere il calore del sole e restituirlo. Al contrario, io ero un'unica distesa di gelo, di silenzio, di impassibilità. Lo spazio che tu eri venuta a colmare dentro di me si era improvvisamente svuotato e, in quel vuoto, era sceso il freddo siderale di una notte senza fine.

Continuavo ad incontrare persone che tentavano di consolarmi, le loro parole mi rimbombavano dentro la testa come fossero echi all'interno di una grotta. Coraggio... *aggio... aggio... aggio...* Terribile... *ibile... ibile... ibile...* Mi irritavano tutte quelle voci, ma non avevo l'energia necessaria per tenerle a distanza.

Così cominciai a girare in macchina. Partivo la mattina e tornavo la sera. «Dove vai?» chiedeva apprensiva mia madre, ogni mattina, vedendomi uscire.

«... *ai... ai... ai...*»

«Quando torni?»

«... *orni... orni... orni...*»

«Non fare sciocchezze!» gridava giù per le scale.

«... *ezze... ezze... ezze...*»

In macchina riuscivo a rilassarmi. Il metallo era il mio guscio, nessuno poteva entrare, nessuno poteva parlare. Ero io a decidere quando aprire la porta e quando chiuderla. Ero un bivalve, un gasteropode con la corazza – qualcuno mi aveva ferito e mi aprivo con estrema cautela, il necessario per respirare, per le funzioni vitali. Guidavo per le strade con lo sguardo vuoto, il cuore vuoto; il gelo aveva deposto cristalli di ghiaccio dappertutto – negli occhi, nelle mani, sulla lingua, nelle articolazioni. Guidavo e sapevo che, da queste ferite, non sarebbe mai uscito l'iridescente splendore di una perla. Prendevo l'autostrada e andavo giù fino a San Benedetto del Tronto, poi uscivo e tornavo per la statale; oppure prendevo la Flaminia e raggiungevo l'Umbria, attraversavo le valli boscose e poi rientravo verso l'Adriatico. A volte, invece, salivo verso nord, raggiungevo il Polesine e il Delta del Po e mi perdevo nelle lunghe strade bianche che fiancheggiavano i canali. Di tanto in tanto mi fermavo, scendevo dalla macchina e fumavo una sigaretta.

Un giorno feci anche una sosta alla Cascata delle Marmore. Proprio mentre ero lì, le acque – che fino a quel momento erano state deviate per le acciaierie – vennero fatte defluire all'improvviso nell'alveo, con un fragore spaventoso, ed io venni investito da una fredda nube di vapore acqueo. Mi tornò allora in mente il nostro gioco dei fiumi. Adesso noi eravamo come quelle acque – lo stesso fiume in due condizioni diverse: io ero il letto vuoto e tu, con il tuo impeto gioioso, eri stata deviata da qualche altra parte; dov'eri non lo sapevo, ma sapevo però che – a differenza di quelle cascate – tu non saresti più tornata a spumeggiare nel mio alveo; senz'acqua, mi sarei trasformato presto in una sorta di strada, ai miei bordi non sarebbe cresciuta più la vegetazione lussureggiante e la vita del fondale sarebbe diventata una distesa di sassi, su cui, in breve, dato che nessuno l'avrebbe più percorsa, si sarebbero insinuati i rovi. Ed era un groviglio di rovi l'unico orizzonte che si stendeva di fronte a me.

I miei genitori vivevano nel terrore che io volessi seguire il vostro destino, ma era un terrore privo di ragione perché mai, neppure per un istante, in tutto quel girovagare, ho pensato di girare il volante e gettarmi fuori strada. Compiere una simile azione avrebbe richiesto una qualche forma di volontà, ed era proprio quella che mi mancava. Ero annichilito. Guidavo perché non potevo stare fermo. Avevo dei pensieri, naturalmente, ma, più che pensieri, erano meteore, scie luminose che attraversavano la mia mente come comete e che, invece di posarsi sulla capanna di Betlemme, andavano a finire dritte sul viadotto e lì, con moto perpetuo, continuavano a generarsi. Laggiù ardeva la palla di fuoco dei vostri corpi, quella palla di fuoco che aveva trasformato il mio passato e il mio futuro in una colonna di fumo, e quel fumo aveva l'insondabile profondità di un buco nero – ogni visione, ogni sentimento spariva là dentro, divorato da un mostro senza volto.

La sera, a casa, non andava meglio. Mia madre, con aria sofferente, continuava a ripetere: «Mangia... *angia... angia...*». Preparava i miei cibi preferiti da bambino e li guardava avvilita raffreddarsi nel piatto mentre mio padre, sprofondato nel divano, ascoltava la televisione.

In un angolo del salotto c'era ancora un contenitore con tutti i giochi di Davide – i cubi, le matite, il camion dei pompieri con la sirena che tanto gli piaceva far correre in cucina.

«Bisogna farsene una ragione» disse alla fine mio padre, una sera. «Bisogna sempre farsi una ragione delle cose che accadono.»

Quella frase fu per me come una scossa. Mi alzai in piedi, prendendo a calci i giochi di Davide: «Non c'è nessuna ragione! Non c'è nessuna ragione!» continuavo ad urlare.

Quando, esausto, mi accasciai sul divano, mio padre mi prese la mano tra le sue.

«Piangi» mormorò con delicatezza. «Prova almeno a piangere.»

Ma le mie cornee erano secche, crepitavano come sterpaglia lambita da un incendio.

«Credo sia meglio che tu torni a lavorare» mi disse, dopo un mese di quella vita, mentre sul balcone ascoltavamo l'arrivo del traghetto dell'Adriatica da Durazzo.

«Penso proprio di sì» risposi mentre la nave, con la sua prua color ocra, entrava in porto.

La sera prima della mia partenza, mia madre, senza avvisarmi, aveva invitato a cena un sacerdote suo amico. Avrà avuto una quarantina d'anni e non era neppure antipatico, ma io ho fatto lo stesso scena muta – loro parlavano del più e del meno e io li guardavo senza ascoltarli.

«Perché non andate a fare una passeggiata, voi due?» ci propose mia madre, dopo il caffè. Lo disse come se io fossi un ragazzo intimidito davanti alla sua innamorata.

«Che bella idea» sorrise don Marco. «Così ci aiuterà a digerire.»

Presi la giacca e lo seguii, immerso nella mia abulia. Fuori l'aria era fredda, il mare increspato da tante minuscole onde, dall'altra sponda dell'Adriatico giungevano gli ultimi refoli di una bora ormai stanca. Per un po' camminammo in silenzio, le mani in tasca. «Sua madre vuole che le parli,» esordì il sacerdote «ma preferirei fosse lei a farlo.»

«Non ho niente da dire» risposi, accendendo una sigaretta. «O meglio, una cosa sì. Non si è uccisa.»

«Cosa le dà questa certezza?»

«Perché lei amava la vita. Lei era la vita e una nuova vita stava nascendo in lei.»

Don Marco sospirò. «Se è così, allora tutto diventa più pesante.»

«In che senso?»

«Non si tratta più di volontà, ma della cecità di un destino. Ad un certo punto la scure si abbatte e...»

«E lo fa nel mucchio...» conclusi io.

«E non si fa domande, non guarda in faccia nessuno. Sarebbe bello poterla dirigere, illudersi che ci sia una selezione – scende e recide la vita ai malvagi, agli stanchi, ai malati... Invece no, scende e distrugge i giusti, i giovani, i forti, gli innamorati della vita. Non ci si può che ribellare a questo.»

«Pensavo che "ribellione" non fosse una parola adatta ai preti.»

«I preti sono uomini, e ribellione è una parola adatta agli uomini. Non è possibile assistere al dolore innocente e restare indifferenti.»

«E in che modo posso ormai ribellarmi?» chiesi stancamente. «Tutto è già accaduto.»

«Incalzi, non Gli dia pace, Gli chieda una risposta.»

«E anche se l'avessi, a cosa mi servirebbe? La mia vita è comunque azzerata.»

«È finita la vita che lei conosceva, ma lei è vivo ed è giovane, non sa quanti orizzonti le si possono aprire davanti.»

«Il mio orizzonte era Nora, il mio orizzonte era Davide.»

«Ma Nora è ancora con lei e anche il suo bambino. La potenza dell'amore supera la fragilità della nostra condizione.»

Era sceso il silenzio sui nostri passi.

Una parte di me voleva urlare: «Non ci credo! Loro sono in quel fuoco, loro sono in quelle povere ossa» mentre l'altra ha detto: «Cosa fa adesso, tenta di consolarmi?».

«Non c'è consolazione umana per quello che lei ha subìto. Sarebbe come mettere un cerotto sullo squarcio di un bazooka.»

«E allora, a cosa servono le vostre chiacchiere?»

«Le chiacchiere non servono mai a niente.»

Con un giro circolare eravamo arrivati nuovamente sotto la palazzina dei miei genitori. «Si ricordi dell'Agnello» mi disse don Marco, congedandosi. «Le morti innocenti riposano tutte sulle sue spalle.»

quindici

Nei primi anni quassù, ho vissuto in assoluta solitudine. Se qualche escursionista sembrava intenzionato a fermarsi, gli facevo capire che non era il caso. Lo spazio fisico c'era – un letto a castello nello stanzino dietro la cucina – quello che invece non c'era era lo spazio nel mio cuore. Ero convalescente, le mie ferite erano appena rimarginate, sarebbe bastato un movimento brusco per riaprirle. Per questo avevo bisogno di stare zitto, fermo, di rimanere accucciato nella tana, per riprendere le forze. Con il tempo, le cose sono cambiate, il silenzio ha agito con la sua potenza taumaturgica, restituendomi il desiderio di incontrare l'altro.

Adesso, se qualche persona vuole fermarsi un paio di giorni, l'accolgo volentieri. Alcuni amano da subito questo mio modo di vivere mentre altri, pur desiderandolo, non resistono che poche ore. La mattina dopo, con gli occhi cerchiati dal sonno e dall'inquietudine, mi comunicano improvvisi impegni che li costringono a partire.

Naturalmente so che l'unico loro vero impegno è l'ansia, quel senso di incertezza e di precarietà che, in quella solitudine, li fa sentire improvvisamente estranei alla loro stessa vita. A un tratto si vedono e, dato che non sanno bene chi sono, provano paura. Per questo devono correre di nuovo giù, tuffarsi nel frastuono e negli specchi, devono ridere, ballare, far rumore assieme agli altri, cancellare quello spettro che li insegue con lo sguardo pieno di domande – Chi sei? Vai via! Non distogliermi dallo stordimento in cui dissipo i miei giorni.

I primi tempi della nostra vita insieme, mi aveva colpito una tua abitudine che ignoravo – ogni mattina, dopo la colazione, ti ritiravi in camera da letto e lì, per una mezz'ora, non volevi essere disturbata. All'inizio ti prendevo in giro: «Sono sicuro che riprendi a dormire». Invece di rispondermi, mi guardavi con un sorriso più enigmatico di quello della Gioconda.

Ho cominciato, allora, a sentirmi geloso – com'era possibile che ci fosse qualcosa che non condividevi con me, per quale ragione dovevo sempre fermarmi sulla soglia? Ho anche provato a distrarti con delle scuse pratiche. «Siamo indietro per questo o per quell'altro... c'è troppo disordine... Siamo in ritardo, come puoi continuare a perdere tempo.» «E chi ti ha detto che lo perdo?» mi rispondevi imperturbabile, chiudendo con delicatezza la porta alle tue spalle.

Soltanto una volta, durante una gita in montagna sulla Maiella, mi avevi accennato a quei tuoi momenti. Ce ne stavamo seduti sui pianori della cima, Davide non era ancora nato, a un tratto mi hai indicato l'azzurro luccichio del mare davanti a noi, le nuvole nel cielo e le rocce che ci circondavano. «Vedi, quando si dialoga con l'eterno non si perde mai tempo.»

Mentre prendevo i panini e il thermos dallo zaino, tu, con un sospiro di felicità, ti sei lasciata cadere distesa e, con lo sguardo immerso nel cielo, hai recitato una delle tue poesie preferite.

Credo che una foglia d'erba non sia meno di un
                      [giorno di lavoro delle stelle,
e ugualmente è perfetta la formica, e un grano di
                      [sabbia, e l'uovo dello scricciolo,
e una raganella è un capolavoro dei più alti,
e il rovo rampicante potrebbe adornare i salotti del
                              [cielo,
e la più stretta linea della mia mano se la può ridere
                        [di ogni meccanismo,
e la vacca che rumina a testa bassa supera ogni statua,
e un topo è un miracolo sufficiente a far vacillare
                      [miriadi di miscredenti.

Quelle parole sono rimaste per un po' sospese nell'aria, poi abbiamo mangiato in silenzio, accompagnati dal sibilo del vento.

L'incanto si è dissolto soltanto sulla strada del ritorno, quando, all'improvviso, nel silenzio della faggeta una motosega ha esploso il suo latrato.

Il libro di Whitman è una delle poche cose tue che ho portato quassù con me, il tempo ormai l'ha ingiallito, molte pagine sono consunte – amavi infatti imparare le poesie a memoria. «Voglio avere in mente un'intera biblioteca,» ripetevi spesso mentre ti esercitavi «altrimenti rischio di farmi convincere che il mondo sia soltanto dormire, mangiare, scopare, morire.»

«E cosa c'è di male? Non sono le cose che facciamo anche noi?» ti ho chiesto.

«Se è per questo, lo fanno anche i cani, i merli, gli oranghi. Dai rettili in su, tutte le vite sono monotone.»

«E allora?»

«Allora dobbiamo imparare a vedere la filigrana, ciò che è nascosto nella parte più segreta dei giorni.»

«E questo non riguarda i cani?»

«I cani non ne hanno bisogno. Come non ne hanno bisogno né i fili d'erba, né gli scriccioli, né le raganelle. Tutti loro vivono già immersi nel fiume della Sapienza. Siamo soltanto noi a dovere andare alla ricerca.»

Per tutti gli anni della nostra relazione, non mi sono mai chiesto che cosa ci trovassi in me – mi amavi, ti amavo, e questo rendeva inutile qualsiasi altra domanda. Non me lo sono chiesto neppure quando il dolore era ancora straordinariamente vivo, la scure mi aveva spezzato in due, ma la metà che mancava era pur sempre una parte di me. Le domande sono affiorate soltanto quando la burrasca ha cominciato a calmarsi e il mare si è trasformato in lago. Specchiandomi, vedevo le alghe ondeggiare pigre e, tra le alghe, s'affacciava il mio volto – un volto stupito, pieno di cose che volevo capire.

Tu dialogavi con l'eterno, ed io?

Ero stato un marito noioso, prevedibile, privo di qualsiasi guizzo. Pensavo al mio lavoro, alle cose pratiche, al mutuo che volevo fare per acquistare la prima casa e alle riunioni di condominio in cui mi toccava litigare. I primi anni lavoravo al pronto soccorso, e quelle quotidiane immersioni nel dolore mi allontanavano da qualsiasi tipo di poesia. Ti ero grato per quella che mi offrivi – tornare a casa era come un balsamo ma, di mio, non sarei stato capace di apprezzare neppure un verso. Se non ci fossi stata tu, mi sarei probabilmente sprofondato nel divano con un bicchiere di whisky.

Quando poi ho iniziato a fare soltanto il cardiologo, l'orizzonte si è ancor più ristretto. Correvo di qua e di là a seguire corsi, convegni – in quegli anni, la tecnologia stava facendo passi da gigante nel mio campo. A volte tornavo persino euforico e, a tavola, ti raccontavo per filo e per segno gli straordinari benefici diagnostici dell'ultimo macchinario o la routine con cui, ormai, si sostituivano le valvole malate con valvole artificiali o di derivazione animale. Tu eri curiosa e mi ascoltavi con grande interesse. Una sera, riguardo alle valvole, mi hai chiesto da che animale fossero derivati i tessuti. «Dal maiale» ti ho risposto. «C'è una grande affinità tra il maiale e l'uomo, e quindi presenta meno problemi di rigetto.»

Sei scoppiata a ridere. «Non siamo scimmie dunque, ma maiali, e questi, presumo?» hai continuato, toccandomi il braccio «non sono peli, ma setole...»

Io, allora, mi sono messo a grugnire mentre Davide, dal seggiolone, batteva le mani, entusiasta. Adorava gli animali della fattoria. Così, dopo il maiale, ho dovuto fare anche il gallo e, dopo il gallo, il cane e il gatto. A te erano toccati la mucca e il coniglio, poi, al momento del pigolio del pulcino, eri riuscita a fargli aprire la bocca e a fargli planare dentro il cucchiaio con il semolino che si stava freddando nel piatto.

Più tardi, mentre Davide già stava dormendo e noi ci stavamo rilassando sul divano, ti sei voltata e mi hai chiesto: «Secondo te, è possibile che un giorno si arrivi a sostituire l'intero cuore con quello di un maiale?».

Ci ho pensato un attimo, poi ti ho risposto: «È probabile che si arrivi, prima o poi, a qualcosa del genere – magari a un cuore di maiale modificato o a un cuore artificiale».

Un'ombra è passata sul tuo volto, hai afferrato la mia mano e l'hai portata sul tuo cuore.

«Promettimi una cosa,» hai mormorato «promettimi che, anche se ne avessi bisogno, non mi farai mai una cosa del genere, non toglierai il mio cuore per mettere al suo posto uno di maiale.»

Delicatamente ti ho sottratto la mano. «No, non posso promettertelo» ti ho risposto, guardandoti nel profondo degli occhi. «Se la tua vita fosse in pericolo, ti metterei anche il cuore di una giraffa.»

Mi hai ripreso la mano. «Non farlo, Matteo,» hai ripetuto «non farlo, ti prego. Se un giorno dovesse succedere, lasciami andare, Matteo.»

Raramente usavi il mio nome di battesimo, mentre io mi riempivo la bocca con il tuo. Quel nome rimase sospeso tra di noi come un esile ponte di corda.

«Ma se...» ho cercato di obiettare.

Tu hai posato l'indice sulle mie labbra. «Sssttt» hai sussurrato con voce quasi impercettibile. «Non temere, ci sarà un altro tempo in cui stare insieme.»

Poi, di colpo, la gioiosa ilarità è tornata sul tuo volto, hai afferrato un cuscino e me l'hai lanciato in faccia. «La verità è che ti piacerebbe trasformarmi in una scrofa!»

«Una scrofa? Certo!» ti ho risposto, difendendomi a mia volta con un altro cuscino. «E che male c'è a desiderare una scrofa? Hai detto che ho le setole, no? E allora?»

Quella notte abbiamo fatto l'amore a lungo e in silenzio, sospesi in una delicatezza che fino ad allora ci era sconosciuta. C'eravamo noi due e, intorno, la notte, e quella notte conteneva tutte le notti – la notte del mio cuore, quella del tuo, la notte in cui eravamo stati generati e quella in cui avevamo concepito nostro figlio, e anche la notte più grande e misteriosa, quella che – all'improvviso – avrebbe riassorbito in sé il nostro ultimo respiro.

In quegli istanti, la trama della vita era scoperta e ci offriva l'inerme volto della sua fragilità. Per questo ci muovevamo piano, respiravamo piano e per questo, ancora più piano, ci sussurravamo l'un l'altra: «Ti amo...».

sedici

Ieri è stata l'ultima notte dell'anno.

Mi sono seduto sulla panca, fuori dalla stalla, a guardare i fuochi d'artificio che illuminavano la valle. Alcuni botti erano molto forti, e per il rumore, le pecore belavano inquiete e gli uccelli si levavano di colpo in volo nel cuore della notte. Una volta ho fatto l'errore di rimanere a letto e sono stato preso dalla stessa agitazione che afferra le pecore e gli uccelli – l'oscurità era squarciata da un susseguirsi di fischi e deflagrazioni, l'aria intorno vibrava, non c'era gioia in quella vibrazione ma piuttosto cupezza, paura, senso di morte incombente. Per questo ora, quando ci sono i fuochi, esco a guardarli – vedere le scie luminose smorza, in parte, l'atavico timore di quelle esplosioni.

Tu non amavi i festeggiamenti di San Silvestro. Una volta in cui ti avevo pregato di accompagnarmi a una festa di colleghi, avevi fatto scena muta tutta la sera. Arrivati a casa, con ancora i coriandoli addosso, ti avevo aggredita: «Potevi almeno fare finta di divertirti!».

«Avrei voluto, ma non ci sono riuscita» mi hai risposto, con voce avvilita.

Allo stesso modo detestavi il clima del carnevale. Ogni anno, venivamo puntualmente invitati a qualche serata a tema e, a volte, cercavo di invogliarti: «Potremmo vestirci da conigli,» ti proponevo «oppure da antichi egizi.» Alzavi le sopracciglia, scettica. «Ma se non piace neppure a te metterti in maschera.»

«Sì, è vero, ma cerco di mediare. Non mi sembra gentile dire sempre di no, continuare a fare la figura degli orsi. Chissà, magari questa volta ci divertiamo.»

«Ci si diverte soltanto perché ci si carbura con l'alcol, se si bevessero solo succhi di frutta, ci si renderebbe subito conto di essere dei cretini con degli stracci addosso.»

A volte non riuscivo a condividere la tua intransigenza. Io avevo un lavoro e questo lavoro mi portava ad avere una serie di rapporti che dovevo coltivare, inoltre non mi andava di essere sgarbato. «Se tu te ne puoi stare qui tutto il giorno a giocare con la cartapesta e a fare volontariato con i bambini, è perché io mi sbatto in ospedale, e non sai quanti "sì" che non vorrei mi tocca dire.»

«Mi stai rinfacciando qualcosa?» mi avevi chiesto, improvvisamente immobile.

«No, stavo soltanto descrivendo la realtà» ti avevo risposto, con meno veemenza.

«Una realtà che comincia a pesarti?» C'era, nel tuo sguardo, qualcosa di severo, che mi intimidiva.

«No, perché dici così?»

«Non ricordi il nostro patto?»

Certo che lo ricordavo, lo avevamo stretto in macchina, mentre andavamo a sposarci – tu avevi scelto una chiesetta sulle colline dell'entroterra, gli invitati riempivano appena le prime file.

Quando mi avevi parlato del matrimonio, a dire il vero, io non ero affatto entusiasta. «Che bisogno c'è?» ti avevo chiesto. «Non basta il nostro sentimento?» Mi sembrava ridicolo partecipare a una cerimonia di cui non capivo il senso, ma eri stata così astuta da parlarne una domenica a pranzo dai miei. Mia madre si era subito infiammata e mio padre non sembrava affatto scontento. La cosa, a quel punto, mi era completamente sfuggita di mano, trasformandosi in una trama di donne compiuta alle mie spalle. Per mesi, quell'evento aveva rivitalizzato le nostre genitrici – era un continuo scambiarsi di telefonate, di accordi, di consigli.

Certo, mia madre avrebbe voluto qualcosa di più sontuoso, di socialmente più rilevante ma, alla fine, si era accontentata anche della pieve solitaria. Per lei, qualsiasi cosa era meglio dell'aborrito municipio, così in voga in quegli anni, o, peggio ancora, dell'anonima nullità di una convivenza.

Qualche giorno prima della cerimonia venni preso da scrupoli. «Mi sento disonesto,» ti dissi «sto per fare questo passo soltanto per accontentarti, per il quieto vivere familiare, per la felicità di quella bigotta di mia madre, ma io non sono bigotto e...»

«Neanch'io lo sono!» mi rispondesti con energia e poi, maliziosa, aggiungesti: «Perché? Hai già qualcuna con cui sostituirmi?».

«Come ti viene in mente? Io ti amerò per sempre! Soltanto che... vedi... io non ho un buon rapporto con Dio.»

«Se è per questo, anch'io ci litigo spesso.»

«... è che proprio io non credo e, dunque, non mi va di fare pagliacciate.»

A quel punto hai afferrato la mia mano e, come una cartomante, hai iniziato a seguire con il dito le linee del mio palmo. «Ora... però... vediamo... vediamo... Qui sembra che amerai una sola donna nella vita e...»

«... e?»

«Ci credi davvero in questo amore?»

«Nora, sei tutta la mia vita!» ho protestato io, abbracciandoti. Tu allora hai avvicinato la bocca al mio orecchio: «Dunque forse Lui in te, un po' ci crede» hai bisbigliato.

Rifiutata la Mercedes con autista – che tanto stava a cuore a mia madre – avevamo raggiunto la chiesa con la mia Dyane color beige. Prima di uscire – convivevamo già da tempo – mi avevi costretto a togliere dal collo il papillon rosso che, con tanto orgoglio, avevo messo – forse un inconscio segno di protesta. «Lo sai che tuo padre odia quel colore» avevi detto. E quando, come un idiota, ti avevo risposto leggero: «Ma tanto non lo vede...» mi avevi fulminato con uno sguardo che ancora ricordo.

Percorrendo la provinciale, sei stata tu a rompere il silenzio nell'abitacolo. «Il prete dirà tante cose ma, prima di lui, sei tu che me ne devi promettere una.»

«Quale? Che ti porterò tutte le mattine il caffè a letto?»

«Non sto scherzando.»

«E allora?»

«Promettimi che non ci rinfacceremo mai niente.»

«Ci tieni tanto?»

«Tantissimo.»

Allora ho alzato la mano dal volante e, con solennità, ti ho risposto: «Prometto!».

Poi siamo arrivati in chiesa. Mio padre ti aspettava sulla porta. Dato che mancava il tuo, aveva voluto accompagnarti lui all'altare e l'aveva fatto senza bastone, camminando dritto e sicuro come se vedesse ogni centimetro davanti a sé. Di tutto quello che ha detto il sacerdote non ho ascoltato neppure una parola. Nel primo banco, dietro di me, c'era mia madre e l'unico suono che sentivo era il suo continuo soffiarsi il naso. Già scendendo dalla macchina aveva gli occhi umidi e quell'umidità si era trasformata – alle prime note della marcia nuziale – in un irrefrenabile pianto che mi infastidiva in una maniera terribile. Avrei voluto girarmi e dire: «Adesso basta! Smettila! Non c'è niente da piangere!».

Devo confessarti che ho risposto «Sì» distrattamente. Soltanto al momento di infilarti l'anello al dito, il torpore all'improvviso è svanito – sul tuo viso c'era una luce straordinaria. Fino ad allora non mi ero mai accorto che la tua pelle fosse così liscia, così sottile, non mi ero reso conto che dentro di te ci fosse un sole e che quel sole risplendesse, senza alcun ostacolo, attraverso i tuoi occhi.

Quel primo tradimento al nostro patto – quello di non rinfacciarsi mai nulla – avvenne alcuni mesi prima del concepimento di Davide. La gravidanza ci aveva proiettati in un mondo nuovo e, forse per questo, non si erano più verificati scontri di quel tenore. Da quel primo – e unico – mio strappo eri comunque rimasta segnata per giorni. «Quando ci si rinfaccia le cose,» ripetevi girando smarrita per casa «non si è più in due nel rapporto, ma in tre – tu, io e il tarlo che ha cominciato a rodere la nostra storia. Nell'oscurità della materia, i tarli lavorano con discrezione,» dicevi «scavano gallerie per anni e, a parte qualche minuscolo fastidio, non ti accorgi di niente. Poi un giorno posi una tazza sul tavolo e il legno cede, sprofonda e, in un istante, la superficie solida che conoscevi si trasforma in un cumulo di soffice segatura.»

In tutti questi anni, pensando a te, ascoltando le storie della gente che arriva quassù, mi sono reso conto che non c'è niente di più difficile del camminare uno accanto all'altro. Ricordi quando andavamo in montagna? Partivamo insieme di buona lena poi, a un certo punto, senza volerlo, ti distanziavo e andavo avanti. Rallentavo soltanto quando ti sentivo gridare: «Sono stufa di parlare con la tua schiena!» e allora tornavo al tuo fianco, facendo grandi sforzi per non distanziare nuovamente la tua andatura. «Rallenta...» continuavi a ripetermi. «Che ci posso fare se ho i femori più lunghi?» ti rispondevo.

Così succede con gli incontri; ad un dato punto della vita ci si vede, ci si attrae, ci si convince di essere fatti uno per l'altra, ed è proprio questa sensazione a rendere stretto il rapporto. In principio si pensa che questa convinzione abbia lo stesso potere di coesione del cemento, soltanto con il tempo ci si rende conto che ciò che ci unisce ha la densità variabile di un elastico. C'era un «te» prima di me e c'era un «me» prima di te e quel «te» e quel «me» hanno percorso strade differenti e, spesso, sono proprio quelle strade che, a un certo punto, ritornano a far sentire il loro irresistibile richiamo. Davanti allo straordinario che tu riuscivi a vedere nella nostra vita di tutti i giorni, io rimanevo relativamente cieco. Mi divertivo, mi svagavo, usavo la luce che tu mi inviavi, ma mai, neppure per un istante, ho pensato che il mio passo in qualche modo dovesse accordarsi al tuo. Eravamo diversi e mi sembrava importante mantenere questa diversità. Io avevo la mia individualità e tu la tua – non annullarsi a vicenda mi pareva un segno di maturità. Soltanto con il tempo, soltanto quando sono rimasto solo, ho capito che annullarsi o camminare accanto sono due realtà profondamente diverse.

Malgrado la tua apparente fragilità, tu eri in possesso di una maturità interiore molto superiore alla mia. Io avevo la certezza delle cose pratiche e quella certezza, a volte, mi spingeva alle soglie dell'arroganza. Tu ti muovevi, invece, con leggerezza ma, in quella leggerezza, non c'era alcun segno di indecisione. Pur sembrando svagata, sapevi perfettamente dove andare. Per ascoltarti davvero avrei dovuto essere umile – un sentimento che allora non conoscevo.

Per questo, spesso mi sono sorpreso a pensare – molti anni dopo che mi avevate lasciato – che un giorno, andando avanti, probabilmente le nostre strade si sarebbero divise. Tu avresti continuato a camminare con il tuo passo regolare verso la meta – il rifugio, la vetta, la stella polare che orientava ogni tuo pensiero; io, non vedendo nulla di ciò che vedevi tu, ad un certo punto, avrei iniziato ad annoiarmi. La noia avrebbe generato il desiderio di distrazione, così, davanti ad un bivio, prima o poi, ti avrei detto: «Sono curioso di vedere dove porta questo sentiero, vai pure avanti che ti raggiungo più tardi». Ma, dopo il bivio, avrei trovato un viottolo e, dopo il viottolo, un sentiero impervio – tracciato forse da qualche camoscio – e anche quello mi sarebbe sembrato interessante, così sarei andato avanti e ancora avanti e, senza quasi accorgermene, la notte del non ritorno sarebbe rapidamente scesa sui miei passi. Certo, tu avresti anche potuto tornare indietro, fermarti, spiegare, mostrare in cielo quella stella che io non ero in grado di vedere. Avresti potuto farlo, e sicuramente l'avresti fatto se io avessi avuto le orecchie aperte, gli occhi aperti. L'avresti fatto se io avessi abbassato la guardia, se davanti a te – invece del medico in grado di controllare ogni battito del cuore – avessi avuto il bambino che si sdraiava tra i campi, quel bambino che osservava il cielo e si stupiva, quel bambino che guardando le nubi, si domandava: «L'anima c'è? Cos'è? Da dove viene? Dove va?».

diciassette

Una volta rientrato a Roma, mi ero trasferito a vivere
in un residence non lontano dall'ospedale e avevo ripreso il lavoro. All'apparenza, la mia vita era tornata
quella di sempre – sorridevo alle battute dei colleghi
e, ogni tanto, riuscivo a dirne una persino io. Si trattava naturalmente di tecniche di camuffamento non
molto diverse da quelle che usano gli animali quando vogliono sfuggire allo sguardo di un predatore. La
maschera del dottore si muoveva con disinvoltura nei
corridoi, confortava i pazienti, assolveva i suoi compiti
con assoluta efficienza, ma era una maschera, appunto. Il vero Matteo non era più lì. Il vero Matteo – dal
pomeriggio di quella domenica – si era trasformato
in un tuffatore. Stava lì in piedi, sul bordo elastico del
trampolino, con i muscoli tesi, lo sguardo concentrato
e oscillava ritmicamente le braccia in avanti e indietro, pronto a lanciarsi – ma non c'era acqua là sotto,
soltanto l'oscura plaga dell'abisso. Lo spazio in cui tu
eri venuta ad abitare ora era vuoto, c'era questa cavità
dentro di me e non era molto diversa dal carapace

delle testuggini quando la morte dissolve l'animale che lo aveva abitato. Potevo affacciarmi, setacciare con lo sguardo l'intero perimetro, potevo pronunciare parole, anche gridarle e poi rimanere fermo ad ascoltare il rimbombo.

Nei primi tempi era difficile che rimanessi solo – le sere e le domeniche, amici e colleghi facevano a gara per invitarmi a casa loro; alcuni non accennavano mai a quello che era successo, mentre altri, più o meno discretamente, cercavano di darmi dei consigli.

Una volta, una collega mi aveva convinto ad andare in un centro di meditazione. Secondo lei, se fossi riuscito a meditare, avrei imparato a distaccarmi dalle cose e a ritrovare la pace. Il ricordo dei tuoi ritiri mattutini aveva avuto la meglio sulla mia perplessità. Forse anche tu, in quel tempo misterioso, ti dedicavi a un'attività del genere e, se l'avessi fatto anch'io, avrei potuto raggiungere una qualche forma di comunicazione con il tuo mondo. Ma dopo appena dieci minuti che ero lì seduto sul pavimento accanto a tutti gli altri, sono stato preso da un irrefrenabile nervosismo e quando l'insegnante, con espressione estatica, ha ripetuto per la decima volta: «Lasciate andare i pensieri, lasciate andare gli attaccamenti, aprite il vostro cuore alla gioia...» mi sono alzato di scatto e sono uscito, sbattendo la porta. Io volevo essere attaccato a te e, senza di te, non ci poteva essere nessuna gioia.

Qualche mese dopo, una mia vicina di residence mi ha proposto di farmi entrare in contatto con te. Aveva un'amica medium molto seria che mi avrebbe aiutato volentieri. Posso immaginare le tue battute ironiche se mi avessi visto correre da una sensitiva, ma in quel tempo la disperazione era tale che avrei fatto qualsiasi cosa per parlarti, per rivederti almeno un istante – per farti quella domanda che, da mesi, stava rannicchiata in fondo al mio cuore.

Era giovedì grasso, quando andai da lei. Per raggiungere la sua casa, nel rione Monti, dovetti fendere una vera e propria folla di maschere – di tanto in tanto qualcuno mi buttava i coriandoli in faccia o mi suonava una trombetta nelle orecchie, gridando: «Allegria!». Io spintonavo via tutti con furore e, quando arrivai al citofono, premetti il pulsante come volessi farlo sparire all'interno del muro.

La casa era all'ultimo piano – uno spazio minuscolo che si affacciava su un balcone ingombro di piante spoglie al di là del quale si intravedeva la selva di antenne e di campanili del centro di Roma.

L'aria era acre, intrisa di odore di urina di gatto – nella penombra che avvolgeva ogni cosa vedevo i loro occhi scintillare mentre le loro code oscillavano pigramente dalle mensole e dai divani.

Entrando, la sensitiva – Flora era il suo nome – mi strinse in un caloroso e inopportuno abbraccio che mi fece ulteriormente irrigidire. Non era giovane, aveva quell'età imprecisa in cui le donne da tempo non interessano più agli uomini. Piuttosto tonda di forme, non alta, ma con un'imponente capigliatura corvina a troneggiare sulla sommità del capo, mi ha accolto avvolta in uno scialle all'uncinetto, probabilmente fatto da lei stessa, e con delle pantofole senza più forma né colore ai piedi. Più che una creatura del mistero, sembrava piuttosto la portiera di uno stabile non troppo borghese.

Mi ha fatto accomodare in una specie di salottino e si è seduta su una poltrona di fronte a me. C'era un tavolino tondo tra noi e, sul tavolo, una lampada fioca ad illuminare i nostri volti.

«Così dunque tu sei Matteo» ha ripetuto un paio di volte con il tono pacato di una vecchia zia. «Matteo... Matteo...»

Sentivo crescere una certa inquietudine in me – un'inquietudine composta in gran parte di irritazione. Come avevo fatto, mi chiedevo, a cadere in una trappola simile? Quell'antro trasudava mistificazione ed io ci ero caduto dentro come un pollo da spennare. Adesso me ne vado, ripetevo dentro di me, prima che cominci la sceneggiata, prima che strabuzzi gli occhi e il tavolino cominci a levitare, prima che cominci a parlare con la voce di un orco, io mi alzo e, con ferma gentilezza, dico che non me la sento di usufruire dei suoi servizi e mi congedo. Già sognavo la felicità con cui avrei respirato l'aria pura delle scale, quando, con le sue mani grassocce che trasudavano cipolla, ha afferrato la mia e mi ha chiesto: «La amavi molto, vero?».

Mi sono liberato dalla sua presa e, dopo una lunga pausa, le ho detto: «Così tanto da venire qua».

Non credo abbia colto il sarcasmo della mia risposta. Dietro la porta, un gatto grattava e scavava la cassetta con appassionato furore.

«Sei come Tommaso, vero?» ha ripreso. «Credi alle cose soltanto quando ci puoi mettere la mano sopra.»

«Sì.»

«E allora, perché sei venuto qui?»

«Per fare un piacere alla mia vicina di casa» ho risposto senza cercare di nascondere il fastidio che provavo.

Flora ha scosso lentamente la testa, come fa una vecchia zia davanti a una bugia del nipotino. «No, tu sei venuto qui perché li amavi. Amavi tua moglie, amavi tuo figlio e, senza di loro, ti senti perso.»

«E chi non lo sarebbe?»

«E dimmi, quando metti la mano sull'amore, che forma ha, che colore? Lo puoi afferrare, misurare, chiudere in una busta o in un cassetto?»

«No, certo. Ma, comunque...»

«Comunque ne hai nostalgia, non sai cos'è, ma senti la sua mancanza. C'è un vuoto in te adesso, un grande vuoto e non sai come riempirlo. Forse, prima di innamorarti, non sapevi che c'era, ma adesso sì, e non puoi più vivere come prima.»

Sono rimasto in silenzio. Come faceva a sapere del grande carapace con l'eco che mi portavo dentro?

La medium ha socchiuso gli occhi. «L'amore è prima di noi,» ha detto piano «l'amore è dopo di noi, l'amore è intorno a noi, ma non sempre riusciamo ad afferrarlo, non sempre abbiamo le antenne giuste per captare la sua lunghezza d'onda... e sai perché?»

«No» ho risposto e, nel sentire la mia voce, mi sono stupito della sua vibrazione infantile.

«Non per cattiveria – i veri cattivi sono davvero pochi – ma per distrazione, per non saper ascoltare, per non saperci fidare. Non si misura, non si pesa, non si può comprare, sfugge a ogni tipo di nostra manipolazione. Allora preferiamo immaginare che non esista, che si possa vivere senza.»

Mentre parlava un gattone striato dagli occhi color smeraldo le è saltato in grembo. Lo ha accarezzato, riprendendo il discorso. «Tu adesso vedi questo gatto, Uriel. Vedi il suo corpo ma il suo corpo non è l'unica realtà. Accanto al pelo, ai baffi, alla coda vive un'altra entità ed è un'entità di luce.»

Mi sentivo come una persona che andava alla deriva, avevo paura di mollare gli ormeggi così, per riportarla sul mio terreno, ho chiesto: «Esistono anche i topi di luce?».

«I topi? Certo i topi, le farfalle, i fili d'erba. Ogni

più piccola parte di materia contiene una scheggia di luce – ciò che non vediamo, ciò che non capiamo è il grande fiume d'oro che scorre accanto ai nostri giorni.»

«E i morti sono là?»

Uriel si è stiracchiato ed è sceso. «I morti non esistono,» ha risposto «esiste soltanto una maniera diversa in cui essere vivi.» Poi ha chiuso gli occhi e – per un tempo che mi è parso interminabile – è rimasta in silenzio. Il lavandino della cucina gocciolava e, dalla strada, giungeva attutito il rumoreggiare delle maschere. Quando li ha riaperti, il suo sguardo aveva un'intensità diversa.

«Alcune persone credono» ha detto «che io sia una specie di linea telefonica. Vogliono parlare con i loro cari come se avessero il ricevitore in mano. Ma non è il tuo caso... tu... tu hai una domanda.»

«Tutti ne abbiamo.»

«Tu hai una domanda... per Nora. Ne hai una sola... ed è come un tarlo che rode il tuo cuore...»

«Sì,» ho mormorato, vinto «è così.»

«Ora io cercherò di mettermi in contatto con lei e tu farai la domanda, ma non la farai a voce alta. La ripeterai dentro di te, pensando a lei che ti siede davanti.»

Dopo aver detto questo, ha chiuso nuovamente gli occhi, e il suo corpo ha iniziato a tremare leggermente, come avesse un inizio di Parkinson.

Ero perplesso, sospeso, indeciso.

Che cosa dovevo fare?

Stare al gioco?

Ma era davvero un gioco?

E anche se ci stavo, che cosa rischiavo? Nessuno l'avrebbe mai saputo, l'avrei semplicemente archiviato nella memoria come un ultimo giorno di carnevale più pittoresco degli altri.

Così ho chiuso gli occhi anch'io e ho cercato di immaginarti. La prima visione che ho avuto è quella del rogo, dal rogo si è materializzato il nostro primo incontro – quello della pasta e dello zucchero soffiato sul volto – poi, subito dopo stavi sul divano e allattavi Davide... una girandola di ricordi diversi ha iniziato allora a scorrere dietro ai miei occhi chiusi... poi, a un tratto, le immagini si sono affievolite e lo schermo dietro alle palpebre è diventato buio... in quell'oscurità le mie narici hanno cominciato a percepire un odore. Il tuo odore – l'odore che sentivo ogni mattina quando ti svegliavi accanto a me nel letto.

Era un segno, quello, o si trattava solo di suggestione?

Il mio cuore, comunque, ha accelerato il suo battito – ora vedevo chiaramente il tuo volto, l'aria felice e assonnata con cui ti stiracchiavi dopo aver spento la sveglia. Eri lì, o così almeno sembrava. In quel preciso momento, con voce lontana Flora ha mormorato: «Ecco... ci siamo...». La tachicardia ormai era assolutamente fuori controllo.

«Davvero ti sei uccisa?» ti ho chiesto.

Quando ho lasciato la casa della medium, l'oscurità era ormai scesa sulle strade della capitale. Invece di tornare a casa, mi sono mescolato nel flusso delle maschere. A Campo dei Fiori, una ragazza si è avvicinata e mi ha offerto una mascherina nera come quella di Zorro. L'ho presa e, con quella indosso, ho cominciato ad entrare e uscire dai bar fino a che l'alba non mi ha sorpreso addormentato sui gradini della chiesa di Sant'Agostino.

Quando mi sono risvegliato, del giorno prima ricordavo poco o nulla, avevo in mente soltanto l'ultima frase che mi aveva detto la sensitiva quando ero già sulle scale: «Si ricordi del topo!».

Sono andato a prendere l'autobus camminando su una distesa di coriandoli e stelle filanti. A casa mi sono sciacquato la faccia e sono arrivato al lavoro in perfetto orario. Durante il giro in corsia, una collega si è avvicinata e mi ha tolto un pezzettino di carta colorata dai capelli, poi, strizzandomi un occhio, ha commentato: «Ci siamo divertiti ieri sera...».

In realtà avevo finalmente trovato il coraggio di saltare dal trampolino – con le braccia tese davanti al capo e i muscoli contratti, stavo volando giù verso l'abisso.

diciotto

Che dire di quegli anni? Come parlarne senza provare una profonda vergogna? Ormai il filo d'oro che mi teneva legato a te era stato spezzato, non c'era più nessuno a cui dover rendere conto delle mie azioni – nessuno per cui le mie azioni avessero senso. Dopo la tragedia, mia madre aveva iniziato a rinsecchirsi, il suo autoritarismo era scomparso, sostituito da un quieto silenzio. Passava la maggior parte del tempo davanti alla televisione, con i ferri in mano. Aveva finito un pullover per Davide proprio il giorno della sua morte – ed era quel pullover che disfaceva e rifaceva senza mai fermarsi. Ogni tanto comprava un gomitolo dello stesso colore e passava a una taglia più grande. «Come cresce!» diceva quando andavo a trovarli. «Per quanto lavori rapidamente, non riesco a stargli dietro.»

La reazione di mio padre era stata invece quella di tuffarsi ancora di più nella vita. Grazie all'amicizia con un ragazzo, aveva finalmente trovato il coraggio di iscriversi alla facoltà di giurisprudenza. Registrava le lezioni e poi, in cucina, fino a tarda notte, svolgeva e riavvolgeva il nastro. La giustizia era diventata il suo chiodo fisso. Era convinto di aver già pagato il conto al dolore con la tragedia della sua infanzia. Quando però, alla sua, si era aggiunta la mia, il suo famoso motto – «Bisogna farsene una ragione» – aveva cominciato a vacillare. Così, dato che, nell'oscurità dei suoi giorni, il Responsabile non gli aveva dato risposta, cercava di trovare un sollievo in quello che avevano scritto gli uomini. Districarsi tra cavilli e sofismi divenne il suo modo per placare l'ansia. La sera, quando ero lì, mi intratteneva per ore sulle finezze del diritto romano. «È come un diamante ben tagliato,» ripeteva spesso «ovunque lo giri trovi perfezione assoluta e luce, una luce capace di illuminare anche le questioni più intricate.»

Due anni dopo, mia madre scivolò e cadde distesa sul marciapiede, mentre le camminavo accanto per la strada. Niente l'aveva fatta inciampare. Nel sollevarla, mi resi conto di quanto fosse diventata leggera – il dolore l'aveva prosciugata senza che ce ne accorgessimo, erano rimaste le ossa e poco altro. E quelle ossa – lo scoprimmo poco dopo – erano già completamente tarlate. Se si lascia la legna troppo a lungo in legnaia, si asciuga, si secca, diventa nutrimento per una grande quantità di insetti – prendi in mano un ciocco e, con stupore, scopri che pesa come un ramo. La stessa cosa era successa a mia madre. Finché la vita aveva proceduto nel ritmo deciso dalla natura – i figli, i nipoti e chissà? un giorno, magari anche i pronipoti – la sua tempra era stata quella di una quercia. Poi, quando si è abbattuta la scure della disgrazia, la forza si era trasformata in debolezza estrema, la linfa si era ritirata – nelle fessure della corteccia erano entrati funghi, batteri, larve di coleotteri, avevano lavorato alacremente nell'oscurità, nel silenzio, trasformando in breve la solidità della struttura in un mucchio di impalpabile segatura.

Il tumore alle ossa era già in fase avanzata. Invece di metterla in mano ai miei colleghi, ho preferito lasciarla a casa, assistita da un'infermiera e da mio padre. Dopo un mese se ne era andata. Il giorno del funerale ho trovato un biglietto nella tasca della sua vestaglia. Con grafia tremolante, c'era scritto a matita – *Non credevo che il pensiero della morte potesse essere così consolante.*

Ho proposto a mio padre di venire con me a Roma, ma lui ha scosso il capo: «Non posso, ho i miei studi e poi per te sarei solo un peso. Non conosco la casa, non conosco le strade, non conosco nessuno».

«Per me non sarai mai un peso» ma lui aveva continuato a scuotere il capo.

Prima di partire, però, sono andato al canile e gli ho preso una bastardina dall'aria molto sveglia. «Indovina cos'ho con me?» ho chiesto, aprendo la porta di casa. Lui è rimasto un attimo immobile, poi, illuminandosi, ha esclamato: «Un cane!». Subito, la cagnolina gli è saltata in grembo, come se lo conoscesse da sempre, e ha iniziato a leccargli forsennatamente il viso e lui, invece di difendersi dall'attacco dei batteri – l'eterno spauracchio di mia madre –, le ha passato più volte le mani sul collo e sulla testa, ripetendo: «Bella... come sei bella... hai il pelo morbido come la seta, e queste orecchie cosa sembrano? Sembrano boccioli di una rosa... Di che colore sei? Fammi indovinare... Secondo me, sei bianca».

Pur non essendo un cane addestrato, Laika – questo era il nome che gli aveva dato in ricordo della rinuncia che aveva dovuto subire in passato – nel giro di un solo giorno aveva compreso il problema di mio padre e ha iniziato a comportarsi di conseguenza – mai davanti o tra i piedi, sempre al suo fianco. «Grazie per Laika» mi ha detto, al momento del congedo, stringendomi forte. Poi, dopo una pausa, ha aggiunto: «E tu? Tu hai qualcuno accanto?».

Sono stato evasivo. «Non ho tempo. Il lavoro mi assorbe troppo.»

«Ricorda» mi ha detto, mentre già scendevo le scale. «La vita va avanti. Non va bene, per un uomo, essere solo.»

Ero solo? Lo ero e non lo ero. Dopo l'episodio della medium, avevo chiamato uno sgombrasoffitte, gli avevo dato le chiavi della nostra casa, dicendogli: «Prenda tutto e ci faccia quello che le pare». Tre mesi dopo ho lasciato il residence e preso in affitto un appartamento non lontano dall'ospedale. Dato che l'appartamento era vuoto, una vecchia amica si era offerta di aiutarmi ad arredarlo. «Per certe cose ci vuole una donna» ha osservato, e così, nei miei giorni liberi, siamo andati in giro insieme a cercare mobili e lampade, lenzuola e pentole.

Dopo un mese la casa era pronta. Per ringraziarla, ho organizzato una cenetta nel minuscolo terrazzo. Era giugno e, accanto al tavolo, una pianta di gelsomino spandeva il suo profumo. Abbiamo fatto un brindisi mentre l'estenuante tramonto di inizio estate colorava di rosa i tetti di Roma. «A noi due!» ha detto, ed io meccanicamente l'ho ripetuto. Un istante dopo ci siamo baciati. La mattina seguente, svegliandomi accanto a lei, ho provato un senso di sgomento. Non amavo quella donna, era soltanto una vecchia cara amica e mai sarebbe diventata qualcosa di diverso. Perché dunque avevo rotto la barriera della più profonda intimità?

Durante la colazione, avrei voluto avere la bacchetta magica per farla sparire all'istante. Abbiamo bevuto il caffè in silenzio. «Hai mal di testa?» mi ha chiesto. Io ho preso la palla al balzo e ho annuito. Si è stiracchiata: «A dire il vero, anch'io un po'. Deve essere stato il vino...». È rimasta poi a lungo sotto la doccia e questo ha aumentato ancora di più la mia irritazione. Entrando in bagno, il fondo del mio pigiama si è inzuppato nelle pozze d'acqua lasciate dal suo passaggio. Quando però ha detto: «Per pranzo voglio prepararti qualcosa di buono», le ho risposto con espressione addolorata:

«Mi dispiace, è appena suonato il cerca persone, c'è un'urgenza in ospedale». «Ti aspetto?» «Non è il caso, le urgenze possono durare anche ventiquattro ore.» Il giorno dopo ho comprato una segreteria telefonica e ho cominciato a vivere in agguato dietro quella voce gradevolmente sintetizzata.

Quando il vento soffia per giorni, è negli angoli, negli spazi vuoti che si raccoglie la spazzatura – lattine, sacchetti, bottiglie di plastica fremono a ogni refolo, sobbalzano, continuando ad accumularsi e lì rimangono anche quando le raffiche si placano. Stava succedendo la stessa cosa con lo spazio vuoto che avevi lasciato dentro di me. In principio vi aveva riverberato il tuo ricordo – non c'eri più tu, ma l'eco che ti aveva contenuta. Nel momento in cui l'eco si è dissolto, la natura, con le sue leggi, ha preso il sopravvento. La natura, però, non ama il vuoto – appena lo scopre mobilita tutte le sue energie per riempirlo – cartacce, lattine, plastiche o anche i semi che crescono caparbi tra una fessura e l'altra dell'asfalto. Ciò che sarebbe dovuto crescere – in quello spazio vuoto – sarei stato io ma, per crescere, avrei dovuto prima esserci e, in quel momento, Matteo non c'era da nessuna parte. Chi era Matteo? Non lo sapevo più. La mia immaginazione non era così alta da poter riuscire a sentirti in una forma diversa. Così rivivevo la mia vita giorno per giorno fino a quel punto, continuando a chiedermi: Cos'ho fatto di male?

Per quale ragione il destino mi ha punito in un modo così tremendo? Sono stato un buon figlio, un medico coscienzioso, un marito innamorato e un padre tenero, non ho mai fatto del male a nessuno. Che senso ha avuto dunque l'essere stato giusto, gentile, corretto, pieno di amore?

Lo smarrimento doloroso dei primi tempi stava iniziando a trasformarsi in una sindrome redditizia – quella della vittima. I ricordi della nostra vita – i volti, gli odori, le parole erano scomparsi dietro le quinte e, sul palcoscenico, al loro posto si era insediata, come un monolite, la rappresentazione del mio dolore di sopravvissuto. Ero un uomo ancora giovane, un buon professionista, fisicamente non da buttare, e avevo sulle spalle il peso di una tragedia biblica. Intorno a me avevo diverse amiche e colleghe che non vedevano l'ora di consolarmi, ma, dietro questa loro spinta umanitaria, ce ne era una forse ancora più umana – avevano tutte più di trent'anni, erano sole e il loro corpo reclamava con prepotenza l'arrivo di un figlio. Io mi distraevo e loro speravano. Su questa altalena di sentimenti ho passato parecchi anni della mia vita.

Dopo quel primo episodio dell'amica arredatrice, nessuna ha avuto più accesso alla mia casa. Ero io a dormire da loro e, ad una certa ora, mi alzavo per tornare nella solitudine della mia tana.

Ripensando a quel periodo, mi tornano spesso alla

mente i famosi versi di Orazio – *Sfuggo ciò che mi insegue, ciò che mi sfugge, inseguo*. Il mio essere inafferrabile portava a livelli di esasperazione le mie compagne notturne, la segreteria era sempre intasata di telefonate – alcune erano suadenti, altre interrogative, altre ancora imperiose. A volte capitava che mi facessero delle scenate sotto casa o che mi aspettassero in lacrime alla fine del turno in ospedale. Rapidamente, e senza quasi rendermene conto, ero scivolato in un mondo che, fino ad allora, mi era stato estraneo – quello della menzogna. Mentivo alle mie compagne, mentivo ai colleghi, mentivo a mio padre, mentivo a me stesso quando, la mattina, mi guardavo nello specchio. Mi stavo gonfiando, allargando. Al risveglio, sotto gli occhi avevo due borse sempre più grandi. È l'età, mi dicevo, pur sapendo che non di anni si trattava – ma di alcol.

Avevo iniziato il giovedì grasso, e non avevo più smesso. In principio è stato il campari – magari bevuto con un collega, alla fine del turno, al bar dell'ospedale. Al campari si è aggiunto il whisky del rientro – aprivo la porta e dopo un secondo avevo già la bottiglia in mano, il primo sorso lo bevevo ancora in piedi, il secondo sprofondato sul divano. Quando, poi, dopo pochi mesi, al mattino il barista chiedeva: «Corretto?», sorridevo dicendo: «Ma sì, per oggi sì», pur sapendo che «oggi» era ogni giorno.

«Incalzi, insista, Gli chieda una ragione» aveva detto quella sera lontana il prete amico di mia madre. A chi dovevo chiederlo? Il mio cielo era vuoto. Non ero una pietra, per questo il sole non riusciva a scaldarmi. Ma quello che era impossibile al sole, era possibile all'alcol. Non ero un sasso, ma un circuito elettrico – le mie vene, i miei nervi erano i cavi attraverso cui l'elettricità scorreva veloce, sprizzando scintille.

Niente sembrava più importarmi. Le fiancate della mia automobile cominciarono ad essere piene di graffi. Una volta andai persino a denunciare il furto perché non ricordavo più dove l'avevo parcheggiata. In ospedale, la caposala, preoccupata mi stava accanto con la fedeltà di un pastore tedesco – nei giri di controllo ripeteva a voce alta, davanti a ogni letto, la patologia e le cure che avevamo già fatto.

«Puzzi» mi disse mio padre, sentendomi entrare, una volta che andai a trovarlo ad Ancona. Mi feci subito una doccia, ma quando ricomparvi in cucina, commentò: «Non era quella la puzza che dovevi togliere». Andò a sedersi poi sul balcone con Laika in grembo e le accarezzò con dolcezza la testa – lei ricambiava con uno sguardo adorante. Un rimorchiatore stava rientrando in porto.

«Mi deludi,» disse allora «mi deludi davvero.»

diciannove

L'estate scorsa è salita qui una ragazza. Veniva da una grande città del nord – era molto vivace, entusiasta e con idee molto chiare sulla vita. Frequentava il terzo anno di psicologia e non vedeva l'ora di laurearsi per poter essere utile gli altri. Mi ha aiutato con pazienza a diradare le piantine di carota, poi ci siamo seduti a bere il succo di sambuco che avevo fatto da poco. Era curiosa e non cercava di nasconderlo, così ad un certo punto, incrociando le mani sotto il mento, ha detto: «Non capisco. Non riesco a capire. Lei ha rinunciato ad essere medico, poteva aiutare un mucchio di persone... Se era stufo di questo mondo, poteva andare in Africa, in India, invece se ne sta quassù a vivere come Robinson Crusoe. Non è forse una scelta estremamente egoista? A che cosa serve – a chi serve che lei stia su questo monte?».

Una vespa camminava come un'equilibrista sul bordo del mio bicchiere. Con un bastoncino l'ho tolta. «Forse le cose che non servono a nulla sono le più importanti.» Elena, questo era il suo nome, ha scosso la testa perplessa. «Ma ci sono talmente tante persone che soffrono! Come fa a rimanere insensibile alle loro grida?» «Chi le ha detto che sono insensibile?»

«E allora come fa a resistere, perché non riprende in mano i ferri del mestiere e non si tuffa nella mischia? Potrebbe guarire un mucchio di persone...»

«Guarire?» ho ripetuto.

«Sì, guarire. Avrà pure curato le persone quando faceva il dottore, no?»

Avrei dovuto risponderle che «guarire» e «riparare una cosa che non funziona» sono attività estremamente diverse, ma ho provato tenerezza per la sua ingenuità, così le ho detto: «Certo, ho aggiustato un mucchio di cuori».

«E allora? Perché non continua a farlo?»

Il sole cominciava a scendere sull'orizzonte. Ho finito di bere il succo di sambuco. «Bisogna far rientrare le pecore» ho detto e, seguito da lei, mi sono avviato verso il pianoro dove stavano pascolando. Al mio richiamo e al battito delle mani si sono subito messe in fila, iniziando a trotterellare verso l'ovile.

«Che brave!» ha osservato Elena. «Le ha addestrate?»

«No» ho risposto. «È il loro istinto.»

«Ma è estate, l'aria è calda. Non crede che sarebbero più felici di dormire sotto le stelle?»

Sono scoppiato a ridere. «No, non credo proprio.»

Il giorno dopo Elena è ripartita, senza mai perdere il

suo sorriso. La primavera seguente, scendendo all'ufficio postale, tra le altre cose ho trovato una sua lettera nella quale mi comunicava la sua laurea – centodieci e lode – e una serie di progetti che, di lì a breve, avrebbe provato a mettere in cantiere. *Non la capisco, ma le voglio bene lo stesso*, aveva scritto in fondo al foglio.

Persino la calligrafia esprimeva il suo carattere vitale, gioioso – incapace di vedere l'ombra. Sarebbe cambiata nel corso della vita, o anche su di lei il male, ad un certo punto, avrebbe posato la sua pinza divaricatrice? Sarebbe stata divisa, spezzata, ridotta in mille pezzi e, anche lei, un giorno, avrebbe dovuto raccogliere i frammenti e cercare di rimetterli insieme? Per quanto tempo avrebbe potuto credere ancora che fosse possibile far dormire all'aperto le pecore e gli agnelli? Per quanto tempo ancora avrebbe potuto ignorare che la notte è popolata di lupi, di volpi, di cani selvatici e che si guarisce soltanto se si riesce a sconfiggere quelle fauci?

Il giorno in cui mio padre mi ha detto: «Mi hai deluso», ho provato vergogna, ma è stata una vergogna di breve durata. Rientrando a Roma in macchina, ho pensato che era una fortuna vivere lontani – al telefono potevo mentire, prendere tempo per cercare di migliorare. Naturalmente, ero pieno di buoni propositi. Domani mi alzo presto, mi dicevo, invece di bere il caffè corretto, faccio una lunga passeggiata – mi sono persino comprato delle scarpe da corsa che sono rimaste intonse nella loro scatola di cartone.

Mio padre telefonava spesso. Alle bugie che gli dicevo penso che non credesse neppure per un istante. Mi richiamava all'ordine: «Ricordati che nelle tue mani hai la responsabilità di molte vite, puoi mandare in malora la tua, ma non puoi farlo con la tua missione».

«La mia missione è sopravvivere» sono sbottato una volta. Dall'altra parte c'è stato un lungo silenzio. «Se è così,» ha detto con voce calma «è meglio che ti ammazzi subito.»

Per un mese non ci siamo più sentiti. Sono stato io a chiamarlo una domenica mattina. «C'è una novità» gli ho detto. «Non sono più solo.» Ho sentito chiaro nel telefono il suo sospiro. «E com'è?»

«È molto più giovane.»

«La ami?»

«Lei mi ama» ho risposto.

Quando si scende, dov'è il fondo? Percorri dei gradini, sei convinto che siano gli ultimi, ma poi giri e vedi che ce ne sono altri – la scala continua verso il basso, s'avvolge su se stessa come il pozzo di San Patrizio. Se scendo ancora – ti ripeti – forse dall'altra parte trovo l'uscita, in fondo la terra è tonda, andando avanti e avanti sbucherò pur da qualche parte. Di tanto in tanto, nella discesa, incontri qualche fiaccola. Quella fiamma illumina l'umidità delle pareti – sei grato di quel poco di luce, la afferri e la porti in mano come fosse la stella cometa. Larissa è stata la mia fiaccola. Fiaccola prima, e ferro incandescente poi. Oltre quel gradino, c'era un muro. Non avrei potuto continuare – è stata lei a permettermi di invertire la marcia.

Larissa aveva da poco superato i vent'anni, veniva da un paese di montagna della Romania. Voleva stare meglio, voleva studiare canto, per questo era venuta in Italia. Nel frattempo faceva la barista in un locale vicino all'ospedale. Una sera di pioggia – io rimanevo spesso lì fino a tardi –, il suo motorino non è partito, così mi sono offerto di accompagnarla a casa. Abitava in una periferia lontana e, lungo la strada, abbiamo avuto modo di parlare. Il giorno dopo ci guardavamo in modo diverso e, dopo una settimana, passeggiando a Villa Borghese, mi ha confessato il suo amore.

Perché, alle sue parole, mi sono fermato e l'ho abbracciata? Forse per la sua ingenuità, perché mi faceva tenerezza, perché avevo voglia di proteggerla. E forse anche perché ero un naufrago e, dopo tante storie, la parola «amore» – il candore con cui l'aveva pronunciata – mi avevano fatto credere che la terra non fosse poi così lontana.

«Larissa vuol dire fortezza» mi ha detto la prima volta che abbiamo dormito insieme e ho pensato che mai nome era meno adatto per quel corpo da scricciolo. A lei ho concesso di dormire nel mio letto, a lei ho permesso di camminare scalza per casa, provando i suoi esercizi di canto. Veniva da una famiglia di contadini e mi piaceva stare ad ascoltarla – la vita dei suoi genitori mi ricordava quella dei miei nonni. Da quanto tempo era scomparso quel mondo, da quanto tempo era sparito il bambino che pedalava sulle strade bianche!

Ascoltandola, per la prima volta ho iniziato a provare nostalgia per quei giorni – e per quello che ero stato io, in quei giorni. La mia mente era aperta, curiosa. Osservavo le nuvole e cercavo di capire la ragione delle cose – e quando credevo di averla trovata, come in quella notte lontana di sant'Isidoro, la pace scendeva nel cuore. Per quale ragione, ad un certo punto, avevo scacciato il mistero al di là dell'orizzonte?

C'eri tu, e questo mi bastava, ma quando tu sei scomparsa, mi sono trovato solo in una casa di specchi – ognuno rimandava un'immagine diversa di me e non ero più in grado di sapere quale fosse quella vera. Larissa mi è sembrata uno spiraglio, un'àncora – il moschettone attraverso cui far passare la corda per iniziare a risalire in alto. Non l'amavo, il massimo che riuscivo a sentire per lei era una sorta di paterna tenerezza. Le ero grato per la dedizione – di qualsiasi cosa io avessi bisogno, lei era sempre lì, pronta a porgermela. Una sera, un collega a cui avevo raccontato la mia nuova relazione, mi ha messo in guardia: «Divertiti pure, ma stai attento – quelle mirano soltanto a farsi sposare». Il giorno dopo non sono andato al bar, e quando mi

ha chiamato, ho fatto finta di non aver visto la telefonata. Il demone della diffidenza era entrato dentro di
me. La domenica seguente ha insistito per uscire insieme ed io, pur essendo combattuto tra due sentimenti
contrastanti, ho accettato. Mentre stavamo tornando a
casa da una passeggiata, abbiamo incontrato dei suoi
connazionali e lei si è messa a parlare fittamente con
loro senza che io ne capissi una sola parola, e ciò mi ha
ulteriormente irritato. Una volta a casa, l'ho vista diri-
gersi con sicurezza da padrona in cucina e l'ho afferrata
per il braccio. «Che cosa vuoi da me?» ho gridato. In
quel momento è stata Larissa, la fortezza: «Una cosa
sola» ha risposto fissandomi dritta negli occhi. «Che
tu smetta di bere.»

venti

La massa di fango si era staccata dalla parete del monte e io non me ne ero accorto. Stavo lì in piedi ed ero convinto che il terreno fosse solido – gesticolavo, mi infuriavo, proclamavo le mie verità con l'arroganza di chi sa dove sta andando, e intanto la frana, metro dopo metro, diventava più grande. Al fango si erano aggiunti i massi, ai massi gli alberi – era tutto uno scricchiolio, uno schianto e io continuavo a comportarmi come fossi il padrone del mondo.

«Perché?» ho chiesto a Larissa il giorno che ha detto quella frase. Per un istante, lei è rimasta in silenzio, i suoi grandi occhi verdi erano invasi da una sorta di doloroso stupore. La sua risposta è stata simile ad un soffio: «Perché ti amo».

Siamo rimasti lì per un po', fermi uno di fronte all'altra – come due estranei prigionieri nel silenzio di un ascensore – poi io ho fatto un passo avanti. «Davvero mi ami?» I suoi occhi erano straordinariamente lucidi.

«Sì.» L'ho stretta tra le mie braccia. Era bello sentire le lacrime scendere tiepide sulle sue guance. Le ho scompigliato i capelli. «E perché mi ami?» le ho sussurrato in un orecchio. «Non c'è niente di amabile in me.»

Lei ha scosso la testa e con il dorso della mano si è asciugata gli occhi. «Perché vedo il Matteo che tu non vedi.»

«Quale Matteo?»

«Quello che esisteva prima della disperazione.»

Quella notte, abbracciato a lei, sentendo l'odore dei boschi in cui era cresciuta, il profumo della legna bruciata che i suoi capelli ancora sprigionavano, ascoltando la sua voce argentina che, con la purezza del cristallo, si levava sulla pesantezza della mia, mi sono convinto di aver trovato finalmente il porto, la base – le nuove fondamenta da cui far ripartire la mia vita. La mattina dopo mi sono svegliato per primo, ho preparato la colazione e l'ho portata a letto; lei dormiva ancora, la sua pelle aveva il candido incanto delle principesse delle fiabe; baciandola sulla guancia, mi sono sentito davvero un principe, soltanto le parti erano invertite – questa volta sarebbe stata la Bella Addormentata a tirarmi fuori dal maleficio. Più tardi, insieme a lei, ho svuotato nel lavandino tutte le bottiglie di alcol che c'erano in giro per casa e siamo andati, sempre insieme, a gettare i vuoti nella campana per il vetro.

A pranzo l'ho portata a Fregene, e dopo mangiato, abbiamo passeggiato a lungo sulla spiaggia, stretti l'un l'altra come due fidanzati. Erano i primi giorni di marzo, la notte aveva piovuto forte, l'aria era ancora fredda, e nubi gonfie e viola correvano in fondo all'orizzonte. C'erano poche persone sulla battigia – un ragazzo lanciava un frisbee ad un cane, un bambino trotterellava tra due giovani genitori che lo tenevano per mano, di tanto in tanto lo sollevavano per farlo volare e la sua risata si confondeva con il fragore delle onde.

Camminando, Larissa mi ha raccontato di aver visto il mare per la prima volta soltanto un anno prima. Per tutta l'infanzia l'aveva soltanto sognato. «È come un lago, ma molto più grande» le aveva detto un giorno il padre, ma lei ugualmente non riusciva ad immaginarlo. Aveva poi trovato alla biblioteca della scuola un libro di Andersen ed è stato proprio leggendo *La sirenetta* che si era innamorata del mare, facendole nascere anche la passione per il canto. «Però,» ha detto poi, stringendomi più forte «ti devo confessare che mi fa anche una gran paura e, soprattutto, non so nuotare.» Allora l'ho sollevata e ho fatto finta di lanciarla in acqua. «No, ti prego no» gridava lei, ridendo. «Non voglio imparare a nuotare proprio oggi.» «Va bene,» ho detto, posandola a terra «a giugno te lo insegno io. Ma non qui, in questo brutto mare. Ti porto a Numana, così ti faccio anche conoscere mio padre.»

In quel momento, tra la grande quantità di detriti trascinati dalle mareggiate dell'inverno, ho visto una bottiglia di vetro con il tappo e l'ho afferrata. «Indovina cosa facciamo?» Larissa ha battuto le mani come una bambina. «Sììì! Sììì!»

«Ma non ho la carta» ho detto, frugando nelle mie tasche.

«Ce l'ho io!» ha esclamato lei, estraendo dal suo zainetto un'agendina con degli orsacchiotti. «E ho anche la penna!» Ci siamo accoccolati sulla sabbia umida. Tenevo la biro sospesa in aria come uno scolaro alle prime armi. «Che cosa scriviamo?»

«Secondo te?»

«Che ci amiamo?»

Larissa ha annuito con forza. «Metti anche la data.»

Ho scritto la data e poi disegnato sotto un maldestro cuore con dentro i nostri nomi. Con un puntiglio da maestra, ha posato l'indice sul foglio. «Aggiungi anche questo» ha detto. «*E per il nostro amore, d'ora in poi non toccherò più alcol.* Aggiungi e firma, sennò non vale.»

«Va bene», ho risposto obbediente. Poi insieme, gridando «Uno, due e tre!» abbiamo lanciato la bottiglia verso il mare aperto.

Il sole stava cominciando a calare sull'orizzonte.

Al ritorno, poco prima di giungere all'auto, ha raccolto sulla sabbia un'infradito lasciata lì dalle onde. «Guarda tutti questi oggetti abbandonati» ha detto, mostrandomela. «Ciabatte, giocattoli, bottiglie, barattoli. Prima di finire qui, tutti hanno avuto una storia. Qualcuno li ha scelti, li ha comprati, li ha usati, forse anche li ha amati.

E adesso non sono più niente, rifiuti sbattuti qua e là dalla risacca. Pensa se avessero una voce, se fossero in grado di raccontare tutto ciò che è accaduto prima.»

In macchina, con ancora i cristalli di salsedine sul viso e la sabbia che scricchiolava sotto i nostri piedi, mi ha chiesto: «Perché non mi racconti la tua storia?». Il cambio ha gracchiato prima di ingranare la retromarcia. «Perché non c'è niente da raccontare.» Ho sentito la sua mano leggera posarsi sulla mia coscia. «Non ha una storia il dolore che distrugge il tuo cuore?»

Siamo tornati verso Roma in silenzio, l'ho riaccompagnata a casa sua e quando, scendendo dall'auto, mi ha scoccato un bacio dicendo: «Ci sentiamo domani!» non ho fatto alcun cenno di assenso.

Rientrato nel mio appartamento, ne sono riuscito poco dopo per andare al negozio lì sotto a rifornirmi di ciò che, poche ore prima, avevo fatto scorrere giù per il lavello.

Larissa non sapeva di te. Non sapeva di Davide. Non sapeva nulla della mia vita precedente. Con gli anni, il tuo vuoto si era trasformato in una cattedrale di granito e questa cattedrale non aveva porte né finestre – non c'era alcun modo per entrarvi. Non si poteva entrare e non si poteva uscire. Una parte di me era rimasta prigioniera là dentro, come degli speleologi vittime della loro audacia. All'inizio c'era ossigeno e spazio sufficiente per compiere i movimenti elementari del corpo. Poi la roccia si era ristretta, l'aria rarefatta – avrei dovuto uscire per sopravvivere, invece ho preferito rimanere dentro. Sono iniziati così i processi di calcificazione, io cedevo parte di me alla roccia intorno, e la roccia, per osmosi, entrava dentro di me. Con gli anni, la parte viva lentamente si è trasformata in granito ed era un granito asserragliato nella profondità della terra – tutto era scuro, opaco, sordo, capace solo di irradiare gelo. Era la cattedrale di granito a rendermi assetato. Era la cattedrale di granito a rendermi muto. Quel peso sinistro – che da più di dieci anni portavo in me come un bambino mai nato – aveva annullato la mia capacità di agire, trasformandomi in una vittima. Tutto sommato mi ero abituato a quel ruolo e, oltre ad abituarmi, mi ero anche affezionato ai suoi pigri vantaggi.

Quello che ancora non sapevo era che, ad un certo punto del processo, l'osmosi si inverte e, al volto della vittima, si sovrappone quello del carnefice.

Così, con Larissa iniziò, un'altalena – alle fughe si succedevano momenti di intimo abbandono, all'abbandono poi seguiva sempre la menzogna. Per più di un mese ho fatto finta di aver lasciato davvero l'alcol. In realtà avevo anche provato, per un paio di giorni, a trasformare quel desiderio in qualcosa di concreto, ma dopo solo un'ora che ero in ospedale il tempo iniziava a dilatarsi in maniera assurda e due ore mi sembravano durare un'intera giornata. Quel tempo immobile – quel tempo monolite in cui non riuscivo a muovere neanche un passo – mi rendeva nervoso. Possibile che nessun altro si accorgesse che l'orologio era fermo? Alzavo la voce facilmente, mi feriva l'inefficienza di chi mi stava intorno. Una volta ho persino gridato in sala operatoria – mi sembrava che qualcuno avesse fatto un errore, ma l'unico errore era il tremolio delle mie dita.

Una sera andai a prenderla al lavoro e, già salendo in macchina, Larissa si accorse del mio stato. «Hai tradito il nostro patto» mi disse e subito si precipitò fuori, come se il sedile l'avesse ustionata. La riafferrai per un braccio. «E dài, era solo un brindisi tra colleghi.» Mi tenne il muso fino a che arrivammo a casa. Lì, cercai di baciarla, ma lei mi respinse. «Non bacio gli ubriachi!» Venni invaso dall'ira. La presi per le braccia e iniziai a strattonarla. «Ma chi ti credi di essere?» gridai. «Che ne sai di me?»

«Credo di essere una che ti vuole bene» ribatté lei. «So che tu non sei questo.»

«Tu vuoi salvarmi!» urlavo. «Tu sei buona, brava. Tu sei l'angioletto sceso dal cielo.»

«Sono solo me stessa.»

«E allora togliti la maschera!»

«Io non ho maschere» rispose con un caparbio candore.

«Bugiarda!» gridai, scaraventandola con tutte le

mie forze sul divano. «Bugiarda!» Poi uscii sbattendo la porta.

Al ritorno, la mia casa era vuota, non c'era nessuna traccia di lei, neppure un biglietto. Una settimana dopo, con un bel mazzo di tulipani – i suoi fiori preferiti – sono andato a prenderla al lavoro.

Quanto tempo andò avanti quest'altalena? Un anno, forse anche qualche mese di più. Di tanto in tanto mio padre telefonava e chiedeva: «Quando me la presenti?».

«Presto,» rispondevo sempre «presto verremo a fare una gita a Numana.»

Alla fine fu lui a farmi una sorpresa. Era andato in pensione, nel frattempo, e si era laureato, diventando un attivista del tribunale dei diritti del malato. Arrivò a Roma per qualche sua pratica e insistette per invitarci a pranzo. Mancava poco a Pasqua. Mangiammo all'aperto in un ristorante vicino all'Aurelia. Lui e Larissa parlarono fittamente, soprattutto di musica – la loro comune passione. Tornando a casa, dovette insistere un po' perché Larissa gli cantasse qualcosa. In piedi sul terrazzo, vicino al gelsomino, lei eseguì un pezzo che stava preparando per un'imminente liturgia. Spesso infatti, per tenersi in esercizio, Larissa animava le cerimonie religiose della sua comunità.

Prima di salire sul treno, mio padre, abbracciandomi, mi disse: «Hai incontrato un angelo». Lo aiutai a salire i gradini, accompagnandolo al suo posto. Da molto tempo non lo vedevo con un'espressione così raggiante. «Hai visto?» mi disse, prima che io lasciassi lo scompartimento. «La vita ricomincia sempre.»

«La vita ci prova a ricominciare...» avrei voluto rispondergli, ma non ho avuto cuore di infrangere lo stato di incanto in cui si trovava.

Nei giorni seguenti Larissa venne inghiottita dalle funzioni religiose. Prima di sparire, mi aveva invitato ad andarla a sentire cantare nella messa del giorno della resurrezione. «Ti ringrazio» le avevo risposto, dandole un buffetto sulla guancia «ma sono un po' arrugginito su queste cose.»

Due settimane dopo era il ponte del 25 aprile. Avevamo deciso di prenderci qualche giorno di vacanza ed eravamo andati in Toscana. L'ultima mattina, passeggiando tra le arcate scoperte della cattedrale di San Galgano, lei ha stretto forte il mio fianco con il suo braccio. «Possibile che non ti accorgi di niente?» ha detto con una voce che mi è parsa gioiosamente maliziosa.

Mi sono girato ad osservarla. «Cambiato taglio di capelli? O c'è qualcosa nel trucco?»

Lei è scoppiata a ridere: «Davvero non vedi in cosa sono diversa?».

Ho indugiato a lungo sul suo volto. «Sì forse, sei appena un po' più tonda.»

Ha preso la mia mano e l'ha posata sul suo ventre. «Senti? Avremo un bambino.»

Ho ritratto il palmo da quel ventre come se fosse incandescente. La prima parola che mi è venuta sulla lingua è stata la più sciocca. «Perché?»

Larissa ha riso di gusto. «Non lo sai che quando si fa l'amore nascono i bambini?»

Andando verso l'auto, però, colpita dal mio mutismo improvviso e cupo, mi ha guardato: «Non sei contento?»

«Certo, certo», ho risposto soprapensiero.

«E allora perché non ci abbracci?»

Ho obbedito, ma è stato un gesto puramente meccanico. «È che sono sorpreso» ho aggiunto, cercando di sembrare umano, «non me lo aspettavo proprio.»

Avremmo avuto ancora una notte in quell'albergo ma io, fingendo la solita emergenza, riuscii a rientrare nella capitale. Sapevo che non avrei più tollerato di passare una sola notte accanto a quel corpo. Lì dentro c'era il mio seme che stava crescendo – già da due mesi la morula si era trasformata in blastula e ora quello che nuotava là dentro non era molto diverso dal minuscolo neonato di un canguro. Non potevo perdere altro tempo perché era chiaro che non desideravo avere altri figli – oltre quei due che già portavo sepolti nella mia cripta di granito.

Arrivato a casa ho subito chiamato il mio collega e gli ho detto senza molti preamboli: «È incinta, cosa faccio?».

«Te l'avevo detto, no?» ha commentato con una risata nervosa. «Stai attento. Fanno tutte così – mettono il figlio in cantiere per farti fare il passo che a loro sta più a cuore. Usa la tua astuzia per convincerla.»

Il giorno dopo, per farmi perdonare la reazione scorbutica che avevo avuto, ho invitato Larissa a cena fuori. Mi sono fatto portare una bottiglia di un vino corposo e, al secondo bicchiere, ho detto: «Un figlio è una bellissima cosa, ma sei sicura di essere pronta? Sei così giovane. E poi, tutti i tuoi progetti, lo studio, i futuri concerti? Come farai a conciliare tutto questo? Non è che non desidero un figlio da te, ma magari potremmo prenderci più tempo, collaudare meglio il nostro rapporto».

Ad ogni mia parola, il suo volto, illuminato dalle candele, diventava più bianco. «Che cosa mi stai suggerendo?» ha chiesto posando il calice sulla tovaglia.

«Soltanto di pensarci. Nel caso, poi, io ho degli amici in ospedale...»

«Nel caso che...?»

«Nel caso che tu ci ripensassi, che tu capissi che è un po' una follia in questo momento.»

Larissa si è alzata di colpo, ribaltando la sedia. «L'unica follia sei tu» ha sibilato ed è scomparsa con passo furioso nella penombra della sala.

Quella notte l'ho passata a bere e l'alcol, come il vento sulla fiamma degli incendi, ha fatto divampare il mostro che c'era in me. Il giorno dopo l'ho seguita per la strada fino alla lezione di canto e, prima che entrasse, le ho fatto una scenata. «Hai fatto di tutto per incastrarmi» ho gridato, scuotendola «e io ci sono caduto come un pollo. Io non voglio figli! Non ne voglio più! Non voglio una moglie e non voglio dei figli!» Lei si è divincolata in silenzio ed è entrata nel portone del suo maestro.

«Devi essere più astuto» mi ha detto il mio amico, quando glielo ho raccontato «altrimenti non ce la farai mai. Lei ti farà causa e dovrai pagarle anche gli alimenti.»

Così, la settimana dopo, impaurito dalla sua fermezza e dai demoni che mi abitavano, ho dato fondo ad ogni mio ipocrita lirismo e le ho scritto una lunga lettera. Avevo cambiato idea, dicevo, avevo capito che un figlio era proprio quello di cui avevo bisogno in quel momento e lei era l'unica persona al mondo con cui avrei voluto farlo. Per farmi perdonare, mi offrivo di accompagnarla in ospedale per facilitare tutti gli esami di routine.

Alle mie parole lei si era commossa.

Qualche giorno dopo, tenendola per mano come il più affettuoso dei mariti e dei padri, l'ho accompagnata nel reparto dove lavorava il mio amico. Con lo stesso sguardo amorevole, una sera, ho tirato fuori le analisi sul divano di casa mia e, abbracciandola, ho mormorato: «Purtroppo ho una brutta notizia...». Larissa mi ha guardato con i suoi lunghi occhi verdi.

«Cioè?»

«Nostro figlio è anencefalo. Non ha il cervello. Non gli si è formato.»

Ho sentito il suo corpo di scricciolo allargarsi in un profondo respiro e poi restringersi. È diventata piccola piccola e si è rannicchiata con la testa sulla mia spalla. Le ho mostrato brevemente la falsa ecografia, descrivendola con dei termini asetticamente tecnici. «È una cosa molto triste,» le ho detto poi accarezzandole i capelli «ma non ti preoccupare, io sono con te, ti aiuterò a risolvere il problema.»

Dato che ero in partenza per un convegno, le ho consegnato una busta con dei soldi per le prime necessità, l'ho riaccompagnata a casa sua e poi, con la mia auto, sono scomparso inghiottito dal buio della notte.

ventuno

Mi alzo con il sole e mi ritiro a casa quando il sole tramonta. D'inverno vado a dormire molto presto. Per questo nel cuore della notte – alle due, alle tre – sono perfettamente sveglio.

Nel lungo periodo in cui ho girato come un vagabondo, ho scoperto che la notte è il momento in cui, con più forza, si manifesta la preghiera.

È nel cuore della notte che si alzano i monaci e – mentre noi dormiamo – le loro suppliche, i loro ringraziamenti si levano con forza verso il cielo.

A volte penso che siano proprio quelle parole pronunciate sui nostri sonni a permettere al mondo di andare avanti – architravi, putrelle che reggono la volta del firmamento impedendole di franare sopra le nostre teste. Bisogna essere ciechi e sordi per non accorgersi che è un inquietante scricchiolio il rumore di fondo dei nostri giorni.

Che cos'è il male?

Ha un volto?

Un nome?

Una voce?

O invece è silenzioso, invisibile, implacabile – penetra nei nostri pori, si mescola alla nostra circolazione, alle nostre ossa, al nostro sistema nervoso e – senza che ce ne accorgiamo – diventa parte indivisibile di noi stessi?

E quanti mali ci sono?

C'è il male più rozzo, più istintivo – il male dei violenti, degli assassini e poi esistono i mali più sottili, i mali manipolatori – quelli che ti fanno credere che una vita dedicata al potere sia più bella e più giusta di una vita dedicata all'amore.

«Come si fa a diventare così saggi?» mi ha chiesto una persona, una volta.

«Si deve attraversare l'inferno» gli ho risposto. «Per andare in alto è necessario, prima, scendere molto in basso.»

«Ma come si fa ad uscire dall'inferno?» ha incalzato il mio ospite.

«Bisogna affidarsi agli incontri.»

«Allora per trovare la strada, si deve prima perderla?» mi ha domandato perplesso.

«Sì, come Pollicino nel bosco» ho sorriso. «È necessario perdersi per ritrovarsi.»

«E come faccio a sapere che il sentiero che imbocco è quello giusto e non uno che mi porta nella parte più oscura del bosco?»

In quel preciso momento – dal bosco reale – è comparsa la moglie e ha cominciato a chiamarlo con voce prepotente.

«Aldo, vieni! Guarda, un chilo di porcini!»

La mia risposta è rimbalzata sulla sua schiena.

Cara Nora, quando penso che tu possa essere stata testimone degli anni che sono seguiti alla tua scomparsa, non posso che provare un terribile senso di vergogna. Come ho fatto a scivolare così in basso? In qualche angolo della mia persona, evidentemente, era nascosto un essere spregevole. Finché tu mi sei stata accanto, è rimasto chiuso in uno sgabuzzino, poi con la tua scomparsa, la porta si è aperta e il nanerottolo ha cominciato a scorrazzare dentro di me, conquistando spazi sempre più grandi.

In questi anni, ascoltando le vite e le domande di tante persone, mi sono reso conto che un nanerottolo – più o meno arrogante, più o meno baldanzoso – vive in tutti noi. Alcune vite, come la mia, sono segnate dal tocco dell'estremo; altre, nel loro scorrere, contemplano una quotidianità più piatta – tuttavia nessuno è esente dallo scontro con questa forza che, costantemente e caparbiamente, vuole condurci al suo meschinissimo livello.

«Lei era un medico, un cardiologo no?» mi ha chiesto una volta una ragazza inquieta, tormentandosi una ciocca di capelli.

«Sì.»

«Aggiustava cuori.»

«Nel limite del possibile.»

«Beh, anche adesso lo fa, no? In qualche modo, comunque, ripara i cuori, no?»

«Con il bisturi, era più semplice» ho risposto. «Adesso il massimo che posso fare è offrire gli strumenti per farlo. Ogni cuore, nella sua parte più segreta, nasconde una briciola di sapienza – ricorda un luogo, un momento in cui è stato felice e di quel luogo ha nostalgia, a quel luogo vuole tornare, così come ai loro paesi, al cambio di stagione, vogliono far ritorno gli uccelli migratori. Ecco, con le mie parole posso solo questo – far nascere il desiderio di prendere il volo.»

«E che nome ha quella terra – la terra promessa?»

«Ha molti nomi ma una sola essenza – l'innocenza, lo stupore, l'essere puri di cuore.»

«Tornare bambini?»

«Tornare allo sguardo privo di malizia, di corruzione, quello sguardo che, davanti ad ogni evento, invece di scorgere un mezzo, vede una possibilità di amore.»

«È molto difficile?»

«Sì. Ci vuole una vita per tornare indietro, e una vita a volte non basta. E anche quando ritrovi il tuo sguardo, devi stare attento, essere vigile perché il nanerottolo è sempre in agguato – non sopporta che tu sia sfuggito da quel mondo minuscolo in cui voleva rinchiuderti. È lui a farti credere di essere arrivato da qualche parte, è il nanerottolo a dirti "fermati, hai raggiunto il tuo posto". Per questo bisogna tapparsi le orecchie, come Ulisse davanti alle sirene, e andare avanti continuando a camminare.»

«Ma camminare in che senso?» ha chiesto ancora la ragazza.

«Nel senso di abitare il silenzio.»

Nei primi anni in cui vivevo quassù, il silenzio dei miei giorni e l'impossibilità di distrarmi sono stati le cose più pesanti da sopportare. Portavo ancora addosso le ustioni dell'inferno che avevo attraversato, sentivo odore di pelle bruciata; di notte mi svegliavo di soprassalto, convinto di sentire il crepitio delle fiamme. A volte, il fuoco compariva anche nei miei sogni. Spesso era il fuoco della tua auto, altre notti invece ero accerchiato da un incendio – al di là delle fiamme vedevo Larissa con un bambino in braccio, avevo l'estintore in mano ma non funzionava, premevo la leva e invece della schiuma, con un sibilo usciva soltanto un po' di aria. «Fuggite!» gridavo nel sogno «Fuggite!» e mi svegliavo tutto sudato.

Di Larissa non avevo più avuto notizie. Al ritorno dal convegno, avevo trovato la mia busta con i soldi nella cassetta delle lettere, senza un biglietto, senza un commento. Il giorno stesso, passando in macchina davanti al suo bar, avevo sbirciato dentro e non l'avevo vista. Ero indeciso sul da farsi. Cercarla per assicurarsi che tutto fosse andato nel modo in cui io speravo, o lasciare che fosse lei, se ne avesse avuto voglia, a farlo.

Quei dubbi vennero cancellati da una telefonata che mi svegliò la mattina seguente. Era la polizia di Ancona. Mio padre era stato trovato morto, durante la notte, su una panchina del parco del Passetto. Non potevano dire da quanto fosse successo, forse anche da un giorno intero. Stava seduto con il cappello in testa e gli occhiali scuri sul naso. Sembrava fissasse l'orizzonte. A richiamare l'attenzione dei passanti era stato il suo cagnolino che continuava a girargli intorno abbaiando e cercando di tirare il lembo dei pantaloni. Il corpo era all'obitorio e la cagnolina nel canile comunale.

All'ora di pranzo ero già ad Ancona, stavo immobile sulla porta, così come, dieci anni prima, ero stato immobile sulla porta di casa nostra. «Papà... Papà...» ho ripetuto più forte, come facevo da bambino quando tornavo a casa da scuola. La parola ha fatto il giro delle stanze vuote e si è posata silenziosa sulla mia spalla, come un falco addestrato. In cucina il tavolo era pulito, la tazza del tè, con il piatto e il cucchiaino, posata nel lavello, la ciotola di Laika colma di acqua fresca. L'unico rumore che si sentiva era quello della pendola che gli avevo regalato per i suoi sessant'anni. *Tic toc tic toc tic toc*. La pendola batteva, ma il suo cuore ormai era fermo.

I funerali si sono svolti il giorno seguente. Ho fatto

mettere nella bara il suo sestante – quel sestante che il padre gli aveva regalato per i quattordici anni e che lui non aveva mai potuto usare.

La chiesa era piena di persone, dovevano essere amicizie degli ultimi anni perché la maggior parte non le conoscevo. Celebrava don Marco, il prete con cui avevo passeggiato una sera, dopo la tua morte. Dato che conosceva da molti anni mio padre, nell'omelia – invece di dire parole vaghe – ha parlato a lungo di lui, del suo coraggio, della sua generosità, della sua rettitudine. «Tutti noi sappiamo» aveva aggiunto «che non era credente, almeno come noi lo siamo, ma sappiamo anche – tutti noi che l'abbiamo conosciuto – che da lui, dalla sua vita avremmo soltanto da imparare, noi che ci riempiamo la bocca di belle parole che molto spesso si rivelano vuote.»

Il silenzio commosso con cui i presenti avevano accolto le riflessioni del parroco era una testimonianza della loro verità. In sacrestia, prima di mettersi i paramenti, il sacerdote mi ha chiesto: «Vuole parlare anche lei, vuole dire qualcosa?». Io ho scosso il capo. Così sono stati i suoi amici, durante la celebrazione, a salire all'altare e leggere le intenzioni. Quando un signore ha detto: «Ti ringraziamo, Signore, per il dono di quest'uomo buono, la luce del Tuo volto lo renda raggiante», qualcosa dentro di me ha iniziato a scricchiolare.

Sapevo che a lui sarebbe piaciuto essere sepolto a Zara, vicino a suo padre e a sua sorella, ma non mi ero organizzato in tempo. In fondo, non avevo mai pensato alla sua scomparsa come a qualcosa di reale. Non si è mai davvero pronti alla morte dei propri genitori. Così è stato sepolto nel cimitero della città, accanto a mia madre.

Il pomeriggio stesso sono andato a prendere Laika al canile. Vedendomi, ha fatto delle piroette su se stessa per la felicità ma, appena entrata a casa, è diventata triste. Andava avanti e indietro dalla sua poltrona al suo letto, poi si spingeva fino al balcone e da lì andava in bagno, poi, con il suo musetto a punta mi guardava, come a chiedermi: «Dov'è?». Le ho dato allora la giacca del pigiama di mio padre e lei l'ha subito portata nella cuccia, addormentandosi con la testa sopra – sentendo il suo odore, poteva almeno illudersi che lui fosse ancora lì.

A me quell'illusione non era data. Mi sentivo stanco, smarrito. Avevo la sensazione di essere stato a lungo su una di quelle giostre che girano sempre in tondo – quando si scende a terra, poi, tutto trema e sembra che non ci si possa fidare più di niente.

Invece di andare nel mio letto di ragazzo, mi sono addormentato sulla sua poltrona. Sono stato svegliato all'alba da una nave che entrava in porto. Nella luce del mattino, l'appartamento appariva nel suo ordine quasi maniacale. Vivendo solo e nell'oscurità, mio padre non poteva permettersi alcun tipo di disordine. Volevo sbrigare le incombenze burocratiche in mattinata, così ho cominciato ad aprire i cassetti. Le bollette, i contratti e il suo libretto di risparmio stavano tutti nella credenza della cucina. Accanto a loro, tenuta ferma con una molletta da bucato, c'era una busta con sopra il mio nome battuto a macchina. Mi sono seduto al tavolo e, con delicatezza, l'ho aperta, aiutandomi con un coltellino. Laika, evidentemente abituata da mio padre, si è accomodata sulla sedia di fronte a me.

Caro Matteo,
approfitto della gentilezza di don Marco che si è offerto di battere a macchina quanto ho nel cuore e che altrimenti non potrei esprimere. Ci sono lettere che un padre non vorrebbe mai scrivere, e questa è una di quelle. Avrei potuto parlarti a voce, l'ultima volta che sei venuto qui, ma sapevo che, con la voce, mi avresti ingannato.
È l'odore che lasci al tuo passaggio che non mi inganna. Ti stai lasciando andare, stai andando alla deriva, è questo che mi fa male al cuore. Vieni qui e mi racconti che tutto va bene, che stai facendo una grande carriera. Parli, parli senza mai fermarti e questa loquacità, lo so bene, è il segno della tua malattia. Credi forse che io sia uno sciocco o forse, in qualche modo, vuoi proteggermi, hai pudore di mostrarmi il degrado in cui stai scivolando? È questo che mi feri-

sce di più perché io sono tuo padre e non un qualsiasi passante al quale soffiare fumo negli occhi.

Io sono tuo padre, sono colui che ti ha generato, come puoi mentirmi, come puoi nasconderti? Con questo tuo comportamento mi fai sentire completamente inutile. Io non servo, non ti posso aiutare, a me non puoi aprire il tuo cuore perché non sono altro che un elemento del paesaggio, un povero vecchio cieco al quale raccontare delle favole. Tu esisti per la mia volontà, per la volontà di tua madre, come puoi pensare, dunque, che io non sia in grado di accoglierti, che io non sia in grado di prendere la tua mano come quando eri bambino e camminare insieme? Che cos'altro è la paternità se non questo continuo accogliere, questa continua capacità di rigenerare chi si è generato?

Le mie notti sono lunghe, interminabili, perché ai miei occhi non è dato il conforto della luce dell'alba. Così, spesso, ripenso a quando eri bambino, alla prima volta che ho sfiorato il tuo viso, a quando ti ho preso in braccio e, accanto al mio cuore, ho percepito il minuscolo battito del tuo. Penso alla prima volta in cui ho sentito i tuoi passetti risuonare per casa, prima incerti, timorosi, poi scatenati nelle tue corse.

Ricordi come ti piaceva passeggiare con me sul lungomare o nei campi intorno alla casa dei nonni? Una volta, quando andavi in prima elementare, mi hai abbracciato le gambe, dicendo: «Ti voglio bene perché sei un papà speciale». «Perché speciale?» ti ho chiesto. «Perché mi insegni tutto» hai risposto. E anche nelle discussioni, a volte aspre, della tua adolescenza, com'ero felice della tua indipendenza di pensiero, del tuo desiderio di coerenza. Non accontentarsi era un dato del tuo carattere. Dov'è finita questa parte? Sei contento di te, ora? Ti guardi nello specchio e sei soddisfatto? Dovresti dirmelo perché, se è così, è chiaro che ho sbagliato tutto.

C'è stata la tragedia, certo. Una tragedia terribile, e questa tragedia ha cambiato la tua vita. Ma io, a questo punto, ho il dovere di chiederti – perché le hai permesso di cambiarti? Non ti ho forse mostrato, con tutta la mia vita, che esiste un modo diverso per affrontare le cose? Credi che per me sia stato facile vedere deflagrare mio padre e mia sorella, credi sia stato facile rimanere con quella immagine per sempre impressa nella mia ormai inesistente retina?

Tu sai che io sognavo di fare il comandante delle navi, già da bambino stavo per ore al porto a guardare i bastimenti arrivare. Non vedevo l'ora di crescere per dar corpo a questo mio sogno. Ma il destino aveva deciso per me qualcosa di diverso e con questo destino ho dovuto fare i conti. All'inizio è stato duro, molto duro, ma poi, con il tempo, ho capito che il destino non è altro che la strada che devi fare per incontrare te stesso. Di ogni cosa, dunque, prima o poi, devi farti una ragione.

Avevo ancora la vita e la vita andava amata, giorno

dopo giorno, andava costruita, con sincerità, con fermezza, con coraggio. Si poteva essere degli eroi sulla tolda di una nave, ma si poteva anche esserlo seduti su un balcone, con il proprio figlio accanto che, a voce alta, declamava il nome dei traghetti.

Non sono le cose che facciamo che danno qualità ai nostri giorni, ma come le facciamo. E dobbiamo sempre farle, dunque, nel modo più umano, nel modo più alto. Ci deve essere dignità e grandezza in ogni singolo gesto, non bisogna mai farsi ridurre, mai farsi abbassare, consapevoli che la vita è come il mare – ci sono momenti di bonaccia e momenti di tempesta – ed in entrambi i casi devi essere conscio che stare dritto al posto di comando è la cosa più importante – sarà la tua rettitudine a permettere alla nave di arrivare in porto, sarà il tuo non arrenderti, il non cedere alla paura a permettere di salvare il carico, l'equipaggio e i passeggeri che ti sono stati affidati.

Mio padre, con la sua vita, mi ha insegnato la nobiltà dell'animo, la stessa cosa ho cercato di insegnarti io. Per questo ti prego Matteo, ritorna in te stesso, non lasciare sulle mie spalle ormai vecchie il peso di questo fallimento. Sii virile, coraggioso, alto nelle tue aspirazioni. Dammi la gioia, un giorno non lontano, di saperti felice, nuovamente aperto alla vita e al suo continuo generarsi.

Ma non aspettare troppo, perché comincio ogni tanto a sentirmi un po' stanco. Non temo la morte, perché

quando ci sarà lei, io non ci sarò più, ma mi dispia-
cerebbe comunque non vedere la fine della storia.
Don Marco mi suggerisce che dall'aldilà la vedrò lo
stesso. E cos'altro vedrò? Dice: Tutto ciò che qui non
sono riuscito a vedere.

Beato lui che ci crede!

Comunque, se così fosse, io spero un giorno di vedere il colore di tutti i mari del mondo – gli azzurri,
i verdini, i blu profondi. Spero che l'aldilà sia esteso
e quieto e cristallino e maestoso e avvolto in un profondo respiro, come immagino sia l'Oceano Indiano.

Tuo padre

Guido

La mattina stessa, di ritorno dall'anagrafe, sono andato
a ringraziare il parroco. «Ha trovato la risposta?» mi
ha chiesto.

«No,» ho detto «ma forse comincio a intravedere
la domanda.»

Il giorno dopo, assieme a Laika, sono salito sul traghetto dell'Adriatica. In piedi sul ponte, per la prima
volta, ho osservato la prospettiva capovolta – non era
la nave ad allontanarsi, ma la casa della mia infanzia a
rimpicciolire fino a sparire inghiottita dal filo dell'o-
rizzonte.

ventidue

Lo scricchiolio che avevo percepito durante i funerali di mio padre altro non era che la prima fessura che si stava aprendo nella cattedrale di granito. Già mentre navigavo verso le coste croate, la brezza del mare vi depositava dentro minuscoli semi; mi sentivo straordinariamente confuso, addolorato ma, in fondo a questo dolore, percepivo anche una sorta di spiraglio – forse davvero, a furia di scendere, ero arrivato dall'altro lato della terra e quella che intravedevo era la luce degli antipodi.

Laika stava ossessivamente attaccata a me, facevo fatica a sostenere il suo sguardo devoto, carico di fiducia. Dietro i suoi occhi color nocciola non potevo non intravedere gli occhi di mio padre, quegli occhi che non avevo mai visto – e che non mi avevano visto – e che tuttavia erano riusciti a osservare e comprendere ogni cosa. Tenevo la sua lettera nella tasca del giaccone e, da quel punto preciso, sentivo sprigionarsi una sorta di calore sulla pelle. La vergogna era un sentimento che fino ad allora mi era sconosciuto. «Vergogna!»

mi aveva gridato la nonna da bambino quando, con la finta voce della mantide, avevo imitato le sue amate preghiere. Era stata l'unica a pronunciare quella parola. Il rumore della sua mano ossuta che si abbatteva sulla mia nuca aveva preso a rimbombare nuovamente nella mia testa, insieme alle sue parole: «Vergogna, non si scherza con queste cose».

Stavo alla balaustra del ponte di poppa a osservare la scia di schiuma che lasciavano le eliche della nave dietro di loro e il borbottio dei potenti motori diesel sembrava che ripetesse la stessa cosa: «Vergogna vergogna vergogna». Quando ho raggiunto la cabina per andare a dormire, non ho mai alzato gli occhi verso lo specchio. Durante la notte il mare si è alzato e Laika è saltata guaendo nel letto. Per un istante ho pensato: "certo, adesso sarebbe bello inabissarsi" ma, subito dopo, ho avuto orrore di quel pensiero. Non mi ero già inabissato abbastanza? A un tratto, volevo essere degno di mio padre, del suo amore, della fiducia che, in ogni istante, aveva avuto in me – quella fiducia che, con il mio cinismo, non ero stato neppure in grado di scorgere.

In quel momento preciso, mentre la nave rollava da una parte e dall'altra, dentro di me avevo deciso di metter un punto fermo nella mia vita e andare a capo. Iniziare nuovamente ogni cosa con lo spirito che lui mi aveva insegnato. Quella lettera che bruciava in tasca sarebbe stata il mio testimone, sarebbe stata il segno – il marchio incandescente – di ciò che mi lasciavo alle spalle. L'avrei riaperta soltanto il giorno in cui le sue parole non mi avrebbero più provocato alcun dolore – nel giorno in cui sarebbe morta quella parte di me e un'altra sarebbe risorta.

A Zara mi fermai qualche giorno.

Andai a cercare la tomba di mio nonno e di mia zia e di tutti coloro che, in quella terra, mi avevano preceduto. Camminai poi per la città alla ricerca dei luoghi di cui mi aveva parlato mio padre – la sua scuola elementare, il molo dove andava a pescare e a guardare le navi. Alcuni edifici c'erano ancora, altri erano scomparsi divorati dalle guerre.

Con una macchina in affitto, me ne andai poi in giro per le campagne alla ricerca della casa in cui era cresciuto. Incontrai parecchi cartelli che invitavano a non scendere, a non attraversare i campi – erano tutti minati.

Alla fine ho trovato la piccola dimora di campagna dove era stato felice – gli archi delle finestre e delle porte erano in pietra e, nella corte, troneggiava un enorme tiglio con sotto i resti bruciacchiati di una gloriette.

Quello dunque era il mondo che aveva visto, quelle forme e quei colori dovevano essere stati le àncore a cui si aggrappava quando l'inchiostro nero della notte tentava di invadere ogni angolo della sua memoria. Ho accarezzato il tronco dell'albero, sentendo il calore di quella mano che, sessant'anni prima, si era posata in quello stesso punto, giocando a nascondino. Nell'ultimo conflitto, la casa era stata distrutta da una granata – non aveva più il tetto, né le finestre, i segni scuri dell'incendio lambivano ogni architrave; sulle parti esterne erano ancora visibili i fori delle sventagliate dei mitra.

Il giorno dopo, in un bar del lungomare, aspettando l'arrivo del traghetto, ho bevuto un bicchiere di «Sangue Morlacco», il liquore di cui mi aveva parlato tante volte perché – insieme al «Maraschino» – era il segno distintivo della sua amata città. Quanto mi aveva fatto sognare – e rabbrividire – quel nome nelle mie notti da bambino! Mi sembrava impossibile che mio padre avesse nostalgia di una bevanda che poteva solo essere rimpianta dai vampiri. L'ho bevuto lentamente – il sangue, alla fine, legava ogni cosa e da quel sangue sarebbe nato il mio riscatto. Posando il bicchierino vuoto sul vassoio, sapevo che quella era davvero l'ultima volta in cui dell'alcol sarebbe entrato nel mio corpo.

Un'euforica eccitazione si impadronì di me durante il viaggio di ritorno. Finalmente vedevo una nuova strada aprirsi davanti a me e, oltre a vederla, sentivo di avere anche la forza di percorrerla. Quella strada si chiamava Larissa, l'angelo che avevo incontrato. Chiamai il mio collega già da Zara. «Se viene,» gli dissi «fermala, dille che c'è stato un errore, dille che sto arrivando, che terremo il bambino, che staremo per sempre insieme.»

«Sei ubriaco?» mi chiese con il suo solito sarcasmo.

«Non sono mai stato così sobrio» la mia voce doveva sembrare molto agitata. «Comunque calmati. Non si è ancora fatta vedere.»

Quella risposta mi riempì di una gioia straordinaria. Tutto dunque era ancora possibile! Nel tempo di una settimana sarei riuscito a mettere nuovamente in moto la mia vita. Sarei stato marito, padre, dottore, come ai tempi in cui stavamo insieme, ma lo sarei stato con una nuova consapevolezza, perché avevo mangiato le erbe amare del dolore.

Quanto ero ancora infantile, quanto ero ancora scioccamente prigioniero del mio delirio narcisista!

Larissa non era andata ad abortire, ma era sparita anche dal bar dove l'avevo conosciuta. La sua casa aveva le tapparelle abbassate e, al citofono, non rispondeva nessuno.

Pensai allora di andare all'ambasciata, ma nel momento stesso in cui cercavo il numero sulla guida, mi resi conto di non conoscere il suo cognome. Non lo sapevano neppure quelli del bar perché aveva sempre lavorato in nero. Probabilmente, mi dissero, non aveva neanche il permesso di soggiorno. Iniziai allora a battere i luoghi in cui si radunavano i suoi connazionali ma tutti, davanti al mio insistere, scuotevano la testa:

«Larissa? Mai conosciuta. Mai vista». Uno mi ha detto
persino: «È sicuro che esista?».

Ero sicuro che fosse veramente esistita? Con il passare dei giorni, anch'io avevo cominciato a dubitarne.
Nella mia mente, non compariva la persona perché,
in realtà, non l'avevo mai vista. Quello che avevo visto
erano soltanto i miei fantasmi, le mie proiezioni, ciò
che volevo lei fosse – la sordida approfittatrice o un
angelo in grado di salvarmi. Di lei non mi rimanevano
che una minuscola camicia da notte, uno spazzolino
da denti, delle figurine di carta – che aveva ritagliato
in un pomeriggio di pioggia – e un nastro registrato
con le sue prove di canto. «Perché non provi a cantare
anche tu?» mi aveva chiesto una volta. «Cantare?» ero
scoppiato a ridere. «Al massimo potrei ragliare.»
    «Dài, lasciati andare,» aveva insistito «ti farebbe
bene.»
    L'avevo presa bonariamente in giro. «E perché mai
dovrebbe farmi bene, dottoressa?»
    «Perché non sei tu a cantare.»
    «E chi sarebbe allora?»
    «Il soffio di Dio che c'è in ogni cosa. Quando tu
respiri, respiri il suo respiro. Quando tu canti, la tua
voce si accorda con la sua.»
    Paternamente, le avevo sfiorato la punta del naso
con l'indice. «Lo sai che non credo a queste cose.» Lei
mi aveva guardato triste, mormorando: «Che peccato».

Che voce avrei voluto avere in quel momento, nel silenzio siderale della mia casa vuota? La voce di uno al quale – palmo a palmo – è stata levata la pelle, la voce di uno che respira con un arpione ad uncino piantato nel mezzo del cuore.

Una volta, quando ero bambino, la scuola ci portò allo zoo. Lì, dietro alle grosse e lucide sbarre di una minuscola gabbia, vidi il primo lupo della mia vita. Era solo e camminava avanti e indietro. Doveva averlo fatto da così tanto tempo che il pavimento era ormai consunto – faceva cinque passi e poi dietrofront, altri cinque passi dalla parte opposta. Teneva lo sguardo basso e la testa incassata tra le scapole, non si fermava neppure di notte, ci disse il guardiano. Qualche bambino tentò di provocarlo ma lui continuò a camminare indifferente – avanti e indietro, avanti e indietro – nella speranza che la morte, prima o poi, venisse a liberarlo.

Io ora ero quel lupo. Ero quel lupo e, nello stesso tempo, una grande balena con una fiocina nella schiena. Mi spostavo nel mare lasciando dietro di me una scia di sangue. Il dolore muoveva ogni mio passo ed era ormai un dolore limpido, puro, assoluto, senza più rabbia, senza più invidia, senza più rimpianti. Un dolore davanti al quale ci si può soltanto inchinare e attendere quietamente la morte. Dimagrivo a vista d'occhio. «Fai qualche controllo,» mi ripetevano gli amici «vai a farti vedere» ma io rispondevo alzando le spalle. La notte,

Laika si sdraiava accanto a me nel letto e, con il suo minuscolo corpo vibrante, cercava di scaldarmi.

Un paio di mesi dopo, venni convocato dal direttore dell'ospedale. Davanti a sé, sulla scrivania aveva un voluminoso fascicolo con sopra il mio nome. Senza troppi preamboli mi disse che il mio comportamento professionale – un tempo ineccepibile – con gli anni era andato sempre più deteriorandosi. Aveva ricevuto molte lamentele sul mio conto e, secondo i rapporti dei miei colleghi, più di una volta era stata sfiorata la catastrofe. L'unica cosa che potevo – e dovevo – fare era ritirarmi, prendere un lungo periodo di aspettativa. Con il tempo poi, la direzione avrebbe deciso il da farsi.

Soltanto a quel punto il lupo ha alzato la testa, soltanto allora ha capito che il guardiano gli stava lanciando le chiavi.

ventitré

Se dovessi scrivere una lettera a Larissa, invece che a te, la prima cosa che le direi è che, in questi anni, in qualche modo, ho imparato a cantare.

Canto quando sono solo e lavoro.

Canto di notte, quando mi sveglio e la radio offre alle mie orecchie tutto il dolore del mondo.

Non sono solo nella stanza, ma la stanza del mio cuore è piena di persone – i naufraghi, i disperati, gli affamati, le vittime di violenza, quelli che hanno la pancia piena e non capiscono di che cosa hanno fame. Stanno tutti con me e li accolgo nel mio canto. Assieme a loro, accolgo anche il dolore di tutte le creature che, pur non avendo la parola, conoscono la devastazione profonda del dolore.

Quando è estate, canto all'aperto, e le mie parole si disperdono tra l'abbaiare lontano delle volpi e il richiamo dei gufi.

Questa notte ho sentito che ha preso fuoco il monte Carmelo. Così, oltre alle persone, ho accolto anche gli alberi, i cespugli, le farfalle, gli uccelli, gli animali della terra che sono stati immolati in quell'enorme rogo – frutto della sciatteria umana.

E, insieme a loro, ho accolto la memoria del profeta Elia che, su quell'altura – con un fuoco che nessuno poteva prevedere – ha sconfitto l'esercito degli idolatri.

Come ogni elemento della natura, il fuoco ha due volti – uno divampa e distrugge, l'altro purifica e fa nascere a nuova vita. Elia ha sconfitto gli idolatri, ma gli idolatri sono di nuovo in mezzo a noi, perché è il nostro cuore a contenere in sé il seme di questa pianta infestante. Basta una pioggia leggera e lei subito cresce, s'arrampica vittoriosa con le sue radichette pelose – si insinua ovunque, creando fessure, divaricazioni, spazi vuoti in cui poter inserire i suoi modesti orizzonti.

Per due anni ho girato per il paese con la piccola Laika accanto. Era quello che avrebbe fatto il lupo, una volta liberato – avrebbe percorso monti e valli per raggiungere il suo branco. Io non dovevo raggiungere il branco, ma la parte di me che avevo smarrito nel corso del cammino. Dovevo risalire al momento in cui – invece di essere due o tre o quattro persone – ero una sola. Quando ero Matteo e basta. Quando guardavo le nuvole e davo loro un nome. Quando pensavo che anche le mantidi sapessero pregare. Ad un certo punto, ognuno di noi, nel suo cammino incontra una maschera – ed è proprio lì che dobbiamo tornare con un fiammifero in mano. Fuoco che distrugge, fuoco che risana, fuoco che purifica. Fuoco che è anche acqua. Acqua che irriga, che disseta, che fa nascere nuova vita. Acqua che scende dai tuoi occhi e ti rende capace di vedere.

Camminavo senza una meta precisa. Di tanto in tanto prendevo una corriera, salivo su un treno, qualche volta dormivo all'aperto, altre volte in albergo o nella foresteria di un convento. A tutte le persone disponibili che incontravo, facevo la stessa domanda.

«Chi è Dio?»

Ho ricevuto tantissime risposte e nessuna è stata uguale all'altra.

«Dio è il sole.»

«Dio è il vento.»

«Dio è qualcuno di cui avere paura.»

«Dio è nessuno.»

«Dio è gioia.»

«Dio è un padrone che non voglio avere.»

«Dio è il mio sesso.»

«Dio è qualcuno che ci punirà.»

«Dio? Non ci ho mai pensato.»

«Dio è Babbo Natale.»

«Dio è una voce che chiama.»

«Dio è un sogno delle nostre menti.»

«Dio è onnipotente.»

«Dio? Quale Dio? Il mio, il tuo, il nostro, il loro?»

«Dio è la causa del nostro esistere.»

«Chi è Dio? È un commediante che non ha studiato bene la parte.»

«Dio? È energia.»

«È un sadico che nasconde il suo volto.»

Nel secondo inverno del mio peregrinare, il treno su cui viaggiavo venne bloccato in mezzo alla pianura da un'improvvisa nevicata. Dividevo lo scompartimento con Laika e con una signora piuttosto anziana. Le luci si spensero e così il riscaldamento. La signora aveva un piccolo thermos con del tè ed io il mio sacco a pelo. Ci offrimmo i nostri reciproci conforti e – sospesi in quel tempo-non-tempo, in quella improvvisa intimità – ci raccontammo le nostre storie. Dopo poche parole, scoprii che anche lei aveva un'invisibile fiocina conficcata nella schiena. Era di Bolzano e, all'inizio della guerra, giovanissima, aveva partorito Lea, una bambina affetta da sindrome di Down. Il marito, appartenente all'alta borghesia e più grande di lei, l'aveva convinta subito, con l'aiuto del medico, a ricoverarla in un istituto in Tirolo. All'epoca non si sapeva molto di quei bambini e metterli in un luogo lontano, dove qualcuno si prendeva cura di loro, sembrava la decisione migliore. Nel profondo, naturalmente, lei sentiva che la soluzione migliore sarebbe stata, per entrambe, averla accanto, ma era una donna ed era troppo giovane, troppo inesperta per poter imporre la sua volontà. Il marito le aveva messo a disposizione la macchina con l'autista e così, una volta al mese, passava il confine ed andava a trovarla. Erano incontri brevi e imbarazzanti. Non sapeva cosa dire, cosa fare. Stavano in un salottino con l'educatrice. «Ecco la tua mamma!» diceva, passando metà del tempo a scartare i regali che aveva portato per la bambina, ma Lea non sembrava molto interessata. La fissava con i suoi occhietti obliqui e continuava a roteare la grossa lingua in bocca. Solo una papera di legno colorata – che si tirava camminando con un filo – aveva suscitato il suo entusiasmo. «Mi capisce?» aveva chiesto un giorno all'assistente. Lei aveva sollevato le spalle: «Un po' forse. A modo suo, sì». La bambina comunque cresceva ed era tenuta bene, sempre lavata, pulita, con un grembiulino a quadretti e codini ornati da due fiocchi. Di tanto in tanto tornava alla carica con il marito. «Lea cammina,» diceva, «Lea parla», ma lui non voleva stare a sentirla.

Crescendo la bambina aveva rivelato di avere un carattere allegro, sempre sorridente. Un giorno le era corsa incontro con un foglio in mano – con la tempera rossa aveva riprodotto l'impronta del suo palmo. «È un regalo per me?» aveva domandato la madre. «Sì, mamma.» Era la prima volta che pronunciava il suo nome. «Tesoro» le aveva detto, prendendola in braccio e stringendola forte a sé. Baciandola, aveva sentito il suo odore. Odore di corridoi lunghi e freddi, odore di disinfettante, odore di minestre sempre uguali.

Rientrata a casa, aveva affrontato il marito. «Almeno il fine settimana!» aveva gridato, tirando fuori delle unghie da pantera che non sapeva di avere. «Almeno un fine settimana al mese.» Alla fine lui aveva acconsentito. «Come vuoi» aveva detto «ma sappi che per lei sarà peggio. Le farai vedere un mondo in cui lei non potrà mai vivere.»

Non aveva mai provato, mi disse, una felicità così grande nel suo cuore come durante quel viaggio. Aveva portato con sé una valigia vuota dove mettere le cose di Lea. Domenica l'avrebbe portata a prendere una cioccolata calda in una pasticceria sotto i portici. Avrebbe guardato tutti a testa alta. «Questa è mia figlia Lea» avrebbe detto, presentandola a tutti con orgoglio.

Il racconto venne interrotto a quel punto dal controllore. «Ci sono novità?»

«Nessuna, finché continua la tempesta.» Fuori dai finestrini, nell'oscurità, si intravedeva un paesaggio completamente bianco – bianco e silenzioso. Sentivo il respiro affannato della mia compagna di viaggio. Forse aveva l'enfisema o forse era la fiocina ad aver perforato le pleure.

«Allora?» le chiesi, quando il controllore uscì.

«Allora,» mi rispose «non l'ho mai più vista. Non ho neppure mai saputo dove è finito il suo corpo.»

Seguì un lungo silenzio.

«C'è stato un gorgo in Europa,» continuò poi «un gorgo nero di follia, di morte – il gorgo demoniaco della barbarie, dell'idolatria selvaggia. Noi continuavamo a prendere il tè, a mangiare le torte, ad andare ai concerti e non ce ne siamo accorti. Intanto quel gorgo, con i suoi tentacoli, se ne andava in giro ad afferrare le prede di notte, in silenzio – magari con il volto buono della scienza, con il sorriso rassicurante di chi agisce per il bene dell'umanità. Bisognava essere perfetti, e mia figlia non lo era. La sua vita era inutile, irritante, rubava spazio vitale a chi ne aveva più diritto – ai grandi, ai forti, agli ariani che, di lì a poco, avrebbero dominato il mondo. Tutta la mia vita alla fine si è ridotta ad un solo fotogramma – il suo sguardo smarrito sul camion che la porta alla morte, la sua improvvisa solitudine. E poi la straziante certezza del suo essere andata incontro ai suoi assassini con la stessa identica fiducia con cui mi veniva sempre incontro – sorridendo. Nel mondo di Lea non c'era spazio per il male.» Con una voce che sembrava venire da un mondo lontanissimo ha poi proseguito: «Per molti anni non ho desiderato altro che la morte, tuttavia non sono mai riuscita a compiere quel gesto. E sa perché? Perché volevo una risposta. Mi avevano cresciuta dicendo che Dio era bontà e onnipotenza. Dov'erano la bontà e l'onnipotenza mentre Lea veniva seviziata, mentre facevano esperimenti sul suo corpo?».

«Dov'era?» chiesi.

«Non c'era. E sa perché non c'era? Perché Dio non è onnipotente. Ci siamo crogiolati per millenni con questa idea, come pulcini sotto il tepore dell'incubatrice, invece non è vero.»

«Dio non può tutto?»

«Non può niente, senza la nostra collaborazione.»

«E che cosa possiamo fare?»

«Stargli accanto, ascoltarlo, riparare. Consolarlo.»

«Ma Dio dov'è?»

«Dio è dove lo si lascia entrare.»

In quell'istante, gemendo, il treno si rimise in moto.

ventiquattro

Questa notte la più anziana delle mie pecore ha partorito. Me l'aspettavo perché i parti, molto spesso, avven-
gono con il plenilunio – e quello di febbraio è uno dei
preferiti. Alle tre sono andato nell'ovile e Pina – così
si chiama la veterana – camminava già inquieta avanti
e indietro per la stalla. Mi sono seduto vicino a lei,
con la lanterna in mano e, di lì a poco, avvolto nella
pellicola lucente del sacco amniotico, è comparso il
musetto del nuovo nato; dal musetto al corpo intero
non sono passati che pochi minuti, poi la madre ha
cominciato a pulirlo, leccandolo con calma affettuosa.
Poco dopo, il piccolo ha sollevato il capo e i loro nasi si
sono toccati. Quando, all'alba, sono tornato a controllare la situazione, l'agnellino stava già in piedi attaccato
alla mammella della madre – poppava e muoveva il
codino con la serena sicurezza di chi si sente padrone
del mondo.

Tutti i cuccioli sono belli ma, nei piccoli delle pecore,
si percepisce sempre qualcosa di speciale – sono gio-

ia e candore in ogni istante del loro esistere. Quando vanno al pascolo corrono, si inseguono, fanno a gara per conquistare il posto più alto – un secchio ribaltato, uno sgabello, un rialzo del terreno – e da lassù si spintonano, scalciano, si lanciano in salti bizzarri. Ma, appena compare all'orizzonte una qualsiasi forma di minaccia, corrono subito a ripararsi tra le zampe della madre. In pochi istanti – anche se sono cento, duecento, trecento – tutti ritrovano nel gregge colei che li ha messi al mondo. La stessa cosa fanno quando è ora di mangiare – le madri chiamano e loro accorrono. Sul pascolo cala allora il grande silenzio della poppata e, dopo il silenzio, si sentono poche voci sommesse, qualche belato lieve, mentre i piccoli – gli occhi socchiusi e le zampe piegate sotto il corpo – fanno il sonnellino all'ombra di colei che li ha generati.

«Come si fa ad uccidere una creatura così?» mi chiedono spesso le persone di città, quando passano di qui.

«Come si fa ad immaginare la vita senza la morte?» rispondo allora io.

Mi guardano perplessi. Alcuni mi offrono dei soldi – vogliono adottare un agnello per permettergli di vivere per tutta la durata dei suoi giorni. «Io non li uccido,» li rassicuro «ma viene un giorno in cui, comunque, si è costretti a farlo.»

«Perché?»

«Perché, per molte pecore, basta un solo montone. È una legge di natura.»

«La natura allora è crudele» rispondono, indignati.

«La crudeltà è la prima risposta.»

«E la seconda?»

«La seconda è che ci chiede di comprenderla.»

Sai, forse soltanto quassù – soltanto in questi quindici anni di lontananza e di riflessione – ho potuto davvero rendermi conto del senso profondo del tuo bisogno di solitudine, la mattina. Senza solitudine, non c'è possibilità di comprendere il senso del tempo. E se non si comprende il senso del tempo, non si può capire il senso dell'uomo. Come l'agnello viene nutrito dalla madre, così il nostro tempo viene nutrito dall'eterno. Porsi fuori da questa maternità vuol dire porsi fuori da ogni possibile risposta di senso.

Tu sei apparsa nella mia vita e poi, a un tratto, te ne sei andata, ed io, per anni, ho inseguito furiosamente ciò che avevo perso, senza rendermi conto che non sull'assenza in sé dovevo concentrarmi, ma sul significato che quella perdita aveva nella durata dei miei giorni.

Tu ti sei ritirata perché io potessi crescere.

Fino a che non l'ho compreso, il tuo sacrificio è stato inutile. È terribile a dirlo – crudele come la legge degli agnelli – eppure è così. Nella vita interiore si procede sempre con la morte al fianco – la morte delle persone che amiamo e la morte di quelle parti di noi che dobbiamo uccidere per andare avanti. Per tanti, troppi anni sono rimasto attaccato alla tua memoria come se fosse la scialuppa di un naufrago. Non eri diventata altro che il feticcio a cui dedicare le parti più deboli di me stesso. Ho cominciato a sentirti nuovamente viva soltanto quando ho sostituito la rabbia e la commiserazione con il sentimento della gratitudine. Sei stata tu a riempire, con il tuo amore, lo spazio vuoto che avevo dentro di me, la tua luminosità interiore è stata anche la mia. Per quanto abbia cercato – per troppo tempo – di colmare quel vuoto con spazzatura, ad un certo punto, è ricomparsa la nostalgia di quella luce. Da dove veniva? In che modo avrei potuto farla vivere nuovamente in me?

Il dialogo con la signora in treno è stato un punto fondamentale. Per mesi e mesi, camminando, ho ripensato alle sue parole. Quando sono arrivato su questo pianoro con Laika e l'ho vista correre felice, ho deciso di fermarmi. Riparare, ascoltare, consolare. Non potevo fare quelle cose continuando a girare come un vagabondo. Non avevo libri con me, né grandi idee o azioni da compiere – l'unico sentimento che mi abitava in quei momenti era la buona volontà. Volevo cambiare, volevo trasformare il dolore e la distruzione in qualcosa di diverso. Volevo riparare – anche se non mi era bene chiaro come – a tutto il male che avevo fatto. Volevo scoprire dove erano le mie porte, dove si trovavano le mie finestre e cercare di aprirle.

Uno dei primi segni è stato quello di capire, d'improvviso, cosa ti era successo. Era il novembre del primo anno e stavo raccogliendo la legna nella faggeta, quando, con un rumore secco, un grosso ramo morto è precipitato giù dall'albero, cadendo ai miei piedi. Flora, la medium, aveva detto che non ti eri uccisa. In quell'istante ho capito la ragione della tua morte – la più semplice, la più banale – quella che, come medico, avrei dovuto capire molto tempo prima. Avevi avuto un aneurisma, la macchina era uscita di strada perché tu non eri più cosciente. Non era forse morta anche tua madre così, l'anno seguente al nostro matrimonio? E, salendo in macchina, non avevi forse detto: «Mi sta venendo un gran mal di testa?».

Comprendere finalmente la ragione, ha fatto scendere in me una gran pace e, con questo sentimento nuovo, ho cominciato ad occuparmi delle cose di tutti i giorni. Lavorando con le mani, lentamente, sono riuscito a sgombrare la testa da tutte le idee inutili, superflue. Una volta liberata la mente, mi sono reso conto che, fino ad allora, non avevo mai visto la realtà, ma soltanto quella che io volevo fosse la realtà. A tre mesi, il velo davanti agli occhi dei neonati comincia a dissolversi. Io mi sentivo così – un piccolo bambino di tre mesi. Vedevo le cose e mi meravigliavo della loro bellezza. Questa è una foglia, mi dicevo, questa è una ghianda, e questo capolavoro di morbidezza e di calore è il nido di un codibugnolo. Non finivo mai di stupirmi. Mi chiedevo dove erano state tutte quelle cose fino ad allora e subito mi rispondevo con un'altra domanda – dov'ero stato io?

La primavera seguente è morta Laika. Si è spenta lentamente di vecchiaia, sdraiata sulla sua cuccia di fronte al camino. Sul suo sguardo era scesa, da tempo, la spessa coltre della cataratta, ma ci sentiva ancora benissimo.

Quando mi sono reso conto che la vita la stava abbandonando, mi sono seduto accanto a lei e, per un giorno e una notte intera, le sono rimasto al fianco, accarezzandola. Le raccontavo tutte le cose che avevamo fatto insieme e lei di tanto in tanto batteva debolmente la coda, come a dire «sì, sì, mi ricordo anch'io». Verso l'alba ha cominciato a respirare con più affanno. È stato allora che ho sussurrato il nome di mio padre: «Guido...». Laika ha sollevato le orecchie – le sue orecchie bocciolo di rosa – e ha iniziato a battere la coda con grande vigore. Subito dopo ha emesso un piccolo gemito e il suo corpo è stato accolto dal gelo della morte.

L'ho sepolta quella stessa mattina davanti all'orto e, assieme a lei, ho sepolto anche la lettera di mio padre che in tutti quegli anni era rimasta nella mia tasca.

Quella notte li ho rivisti entrambi. I loro corpi erano diversi da quello che erano stati in vita, più che di materia, sembravano fatti di foglie di faggio – le foglie d'autunno quando il sole le sfiora, trasformandole in piccole fiamme dorate. Non facevano niente, non dicevano niente, camminavano semplicemente immersi in una luce che fino ad allora mi era stata sconosciuta. Mi sono svegliato di soprassalto non per un rumore, non per paura, ma perché il mio cuore aveva iniziato a battere in modo diverso, lo stesso bizzarro modo che aveva avuto sentendo il tuo profumo nella stanza della sensitiva. Così, ho pensato, deve aver battuto il cuore del cane Argo, quando persa ogni speranza, aveva visto riapparire sulla soglia il suo padrone Ulisse. L'amore che attende, l'amore che viene ricompensato dal ritorno.

Con gli anni mi sono reso conto che l'eterno irrompe, a tratti, nel tempo. Irrompe senza teorie, senza piani, senza raccolte di punti o bilance. Irrompe e mostra il fuoco nascosto nelle cose. Quel fuoco è la causa della nostra gioia. Ricordi? *Credo che una foglia d'erba non sia meno di un giorno di lavoro delle stelle.* Giorno dopo giorno, ho capito il senso di quelle parole che tanto tu amavi; ho imparato a scorgere la fiammella che arde in tutto ciò che esiste intorno a noi. Nei sassi, nelle foglie, nei fiori, nei corvi, nei gatti, nelle api, negli alberi, nelle farfalle, in ogni seme che si schiude, in ogni struttura minerale, in ogni creatura che viene al mondo permane una scintilla della luce originaria.

Vivere alla fine non è altro che questo – vederla e fare il possibile perché non si spenga.

Quando qualcuno viene quassù e mi chiede un metodo, una via per raggiungere la felicità, mi capita spesso di sorridere.

«La via è la vita.»

Questa mia risposta li lascia insoddisfatti. Preferirebbero qualcosa di grande, di chiaro, di certo. Bisogna essere come agnelli all'ombra della madre per rendersi conto che non c'è onnipotenza nell'amore ma, piuttosto, l'incontro di due fragilità. Solo quando ti arrendi a questo, ogni cosa nei tuoi giorni si assesta.

Lo scorso autunno, mentre nutrivo le galline, ho visto comparire una figura in fondo al prato. Era un mercoledì, giorno in cui di solito non passa nessuno, per quello mi sono meravigliato. Quando è arrivato vicino e mi ha salutato, mi sono accorto che era appena un ragazzo. Aveva uno zaino con sé e un modo di fare ad un tempo timido e spavaldo. Mi ha dato la mano con slancio. «Salve, mi chiamo Nathan, posso stare qui qualche giorno?»

Mi ha poi spiegato di essere un appassionato ornitologo e che era venuto fin quassù per poter osservare i picchi del bosco vicino. Mi ha sorpreso – era la prima volta che qualcuno mi faceva una richiesta del genere, comunque, gli ho ripetuto quello che dicevo a tutti: «La mia casa è la tua casa».

Si è sistemato nel letto a castello e, il pomeriggio stesso, ha voluto andare nel bosco. «Non perderti!» gli ho gridato dietro, prima di veder sparire la sua schiena tra gli alberi.

È rientrato al crepuscolo e si è seduto in un angolo a prendere appunti su un taccuino. Di tanto in tanto avevo la sensazione che mi osservasse e, quando i nostri sguardi si incrociavano, mi sembrava che arrossisse. Durante la cena, ho dovuto tirargli fuori le parole di bocca. Veniva da Milano, frequentava il penultimo anno di liceo; avrebbe poi voluto studiare biologia, impegnarsi in qualche movimento per la salvaguardia della natura. Parlando della sua passione, aveva cominciato a sciogliersi, ad accalorarsi: «Come si fa a stare al mondo e non lottare per trasformarlo in un posto migliore? Nell'Oceano Pacifico c'è un continente galleggiante grande il doppio degli Stati Uniti fatto soltanto di plastiche abbandonate! Come si può sapere una cosa del genere e continuare a dormire sonni tranquilli? Un pezzo di plastica ci mette 500 anni a distruggersi, uno solo! Come si può continuare a consumare e distruggere e pensare che la cosa non ci riguardi? Chi riguarda allora? Non si può più rimanere con le mani in mano».

«Quello che c'è fuori» ho risposto «non è altro che lo specchio di quello che abbiamo dentro. Se trattiamo la nostra interiorità come una discarica, non possiamo immaginare che il mondo intorno, magicamente, si trasformi in un giardino.»

Ha poi continuato a parlare della sua passione per il mare. «È strano» ha detto «anche se sono nato a

Milano, in mezzo allo smog, fin da bambino non ho fatto altro che sognare il mare. Forse mi specializzerò in biologia marina. Intanto quest'estate andrò a fare il volontario su una barca per salvare i delfini. Scambiano i sacchetti di plastica per meduse, li mangiano e poi muoiono soffocati.»

«Hai un nome raro» ho osservato dopo una pausa. «Era di qualche antenato o l'hanno scelto i tuoi genitori?»

Nathan ha sollevato le spalle con noncuranza.«L'ha scelto mia madre. Senza chiedermi il permesso, naturalmente» ha aggiunto sorridendo.

«Non ti piace?»

«Avrei preferito qualcosa di più semplice.»

«È il nome di un grande profeta.»

Si è stiracchiato, sbadigliando.«Lo so, Nathan il guastafeste, quello che fa saltare le trame di re David. Comunque non è che adesso i profeti vadano forte.»

«I profeti non vanno mai forte» ho risposto prima di congedarmi per la notte.

Quella notte non sono riuscito a prendere sonno. Per quanto fosse difficile ammetterlo, c'era qualcosa in lui che mi turbava. Ascoltavo il suo russare leggero e mi sentivo sempre più inquieto. Quando, la mattina dopo, l'ho visto mettere via con ordine meticoloso le tazze e la teiera sul lavello, l'inquietudine si è allargata come una macchia d'olio.

Quel giorno sono stato io a volerlo accompagnare nel bosco. Camminavamo facendo frusciare le foglie, parlavamo poco. Gli raccontavo le storie di quel bosco che conoscevo come fosse casa mia e lui ascoltava in silenzio. Ogni tanto mi faceva domande sulla presenza dei tassi, sulla densità e la salute dei caprioli. Sulla via del ritorno, le sue gambe lunghe lo portavano a starmi davanti. Tanto più il suo passo era sicuro, tanto il mio, ad ogni metro, diventava più incerto.

All'ora di cena – con una maldestria che non mi apparteneva più da tempo – sono inciampato, ribaltando la minestra. Il ragazzo mi ha aiutato ad asciugare il tavolo, poi, vedendo la mia desolazione, mi ha rincuorato sollevando le spalle: «Pazienza! Bisogna farsene una ragione...».

Quella notte, appena lui si è addormentato, sono andato nella stalla per ritrovare la calma.

«Tu sai il significato del tuo nome?» gli ho domandato la mattina seguente, quando mi è comparso davanti spettinato e con la felpa stropicciata.

«Certo. Dio ha donato.»

C'è stato un lungo silenzio, poi ho raccolto tutte le mie forze per chiedere: «Tua madre canta?».

Quando ha risposto «Sì» le forze sono svanite. Per un po' i suoi occhi hanno vagato incerti per la stanza, la stessa cosa hanno fatto i miei.

«Perché sei venuto?»

«Così, per curiosità. Perché non è bello alzarsi ogni giorno e non conoscere la faccia del proprio padre, non sapere tutto quello che c'è stato prima di te.»

Mi ha poi raccontato che Larissa si era sposata con un violinista della Scala, che aveva avuto anche una figlia, Cecilia, e che continuava a cantare.

«Mi disprezzi?» ho domandato alle sue spalle, mentre lavava la sua tazza.

«Mia madre mi ha insegnato a non giudicare nessuno.»

Poi ha preparato lo zaino.

«I picchi erano una scusa?» ho domandato mentre sistemava dentro le cose.

«No» ha risposto. «Mi interessano davvero.»

L'ho accompagnato fino al limitare del prato. Sentivo i miei piedi pesanti come pietre, anche il cuore era di marmo, oppresso da un'apprensione che non avevo mai provato prima. Quando ho chiesto: «Tornerai?», non mi sono stupito della fragilità ansiosa della mia voce.

Nathan ha sorriso – aveva lo stesso sorriso di mio padre. «Non trovi che sia buffo?» ha osservato.

«Buffo cosa?»

«Che la storia si sia invertita.»

«Quale storia?»

«Quella del Figliol Prodigo. Lì, il figlio se ne andava di casa ed era il padre a doverlo perdonare al suo ritorno. Qui invece è il padre che se ne va di casa ed è il figlio che deve mettersi sulle sue tracce, che deve girare mari e monti per trovarlo.» È scoppiato a ridere. «Non c'è più religione, davvero. Il mondo è capovolto. Adesso sono i padri che devono chiedere perdono ai figli.»

Eravamo in piedi uno di fronte all'altro. Avrei voluto prendergli una mano tra le mie, come faceva mio padre; avrei voluto abbracciarlo. Quando ho detto: «Perdonami» un intenso rossore è salito sul suo volto.

«L'ho già fatto» ha risposto con un imprevisto tremito nella voce. «L'ho già fatto, anche se ti sei comportato come un bastardo. Ma» ha ripreso dopo qualche istante, con il suo solito tono ironico «non aspettarti che uccida il vitello grasso. Né il vitello, né l'agnello, neppure una gallina. Al massimo, per festeggiare, ucciderò una melanzana perché sono vegetariano.»

Per una frazione di secondo siamo rimasti sospesi, in bilico uno verso l'altro. C'era desiderio e c'era timore da parte di entrambi, così ci siamo lasciati senza neanche sfiorarci.

Soltanto quando era a metà del declivio, lontano dal pericolo di un'emozione che non era in grado di controllare, si è voltato verso di me e ha gridato: «Sì, tornerò». Mi ha salutato con la mano aperta, prima di sparire in fondo al prato. Ho ricambiato allo stesso modo.

Rimasto solo, ho iniziato a correre verso il bosco. Stavo per esplodere e avevo bisogno di protezione. Mi sono fermato davanti al primo grande albero che ho incontrato, ho posato lì la fronte e sono scoppiato in singhiozzi. Su quel tronco ho pianto tutte le lacrime della mia vita, a quel faggio ho regalato tutti gli abbracci che non avevo mai dato – quella corteccia argentata ha accolto tutto il mio dolore. Alla fine, esausto, mi sono accasciato sulle sue radici come un agnello ai piedi della madre, scivolando in un sonno rapido e profondo.

Al risveglio mi sentivo leggero, straordinariamente leggero. Fuori dal bosco, brillava la luce di mezzogiorno.

Quando sono giunto all'ovile, mi è tornato in mente il volto raggiante di un'anziana donna che avevo incontrato in un paesino di montagna, durante il mio lungo peregrinare. Era vestita di nero e stava seduta su una panchina; aveva delle mani nodose, consumate dalla fatica e, con quelle mani, reggeva un bastone.

Mi ero seduto accanto a lei e quando le avevo chiesto: «Chi è Dio?», mi aveva risposto: «Dio è un bambino a cui cambiare le fasce».

MISTO
Carta da fonti gestite
in maniera responsabile
FSC® C023532

Stampato presso Giunti Industrie Grafiche S.p.A.
Stabilimento di Prato, azienda certificata FSC